U0565230

本书编写组 编

中华优秀传统文化书系

Excellent Chinese Traditional Culture
The Doctrine of The Mean

中庸

山东画报出版社

图书在版编目（CIP）数据

中庸/本书编写组编.—济南：山东画报出版社，2020.8
（中华优秀传统文化书系）
ISBN 978-7-5474-3651-6

Ⅰ.①中… Ⅱ.①本… Ⅲ.①儒家 ②《中庸》—注释 ③《中庸》—译文 Ⅳ.①B222.1

中国版本图书馆CIP数据核字（2020）第104725号

中华优秀传统文化书系：中庸
本书编写组 编

项目策划	梁济生
项目统筹	秦　超
责任编辑	姜　辉
特邀编辑	仇　雨　张嘉奥
装帧设计	李海峰

出 版 人	李文波
主管单位	山东出版传媒股份有限公司
出版发行	山东画报出版社
社　　址	济南市市中区英雄山路189号B座　邮编 250002
电　　话	总编室（0531）82098472
	市场部（0531）82098479　82098476（传真）
网　　址	http://www.hbcbs.com.cn
电子信箱	hbcb@sdpress.com.cn
印　　刷	山东星海彩印有限公司
规　　格	787毫米×1000毫米　1/32
	9.75印张　10幅图　150千字
版　　次	2020年8月第1版
印　　次	2020年8月第1次印刷
书　　号	ISBN 978-7-5474-3651-6
定　　价	68.00元

如有印装质量问题，请与出版社总编室联系更换。

出版说明

　　山东是儒家文化的发源地，也是中华优秀传统文化的重要发祥地，在灿烂辉煌的中华传统文化"谱系"中占有重要地位。用好齐鲁文化资源丰富的优势，扎实推进中华优秀传统文化研究阐发、保护传承和传播交流，推动中华优秀传统文化创造性转化、创新性发展，是习近平总书记对山东提出的重大历史课题、时代考卷，也是山东坚定文化自信、守护中华民族文化根脉的使命担当。

　　为挖掘阐发、传播普及以儒家思想为代表的中华优秀传统文化，推动中华文明与世界不同文明交流互鉴，山东省委宣传部组织策划了"中华优秀传统文化书系",并列入山东省优秀传统文化传承发展工程重点项目。书系以儒家经典"四书"(《大学》《中庸》《论语》《孟子》)为主要内容,对儒家文化蕴含的哲学思想、人文精神、教化思想、道德理念等进行了现代性阐释。书系采用权威底本、精心校点、审慎译注,同时添加了权威英文翻译和精美插图,是兼具历史性与时代性、民族性与国际性、学术性与普及性、艺术性与实用性于一体的精品佳作。

前言

　　《中庸》是儒家一部重要的经典著作，原是《礼记》中的第三十一篇。南宋朱熹把《中庸》从《礼记》中抽出，与《大学》《论语》《孟子》合为"四书"并为之作注。宋代以后直至清末，成为官方的教科书，也是读书人科举考试的必读之书，对中国古代教育和思想文化影响巨大。

一、关于《中庸》的作者

　　据有关文献记载，《中庸》的作者是战国初期的子思。《史记·孔子世家》记载："子思作《中庸》。"宋代朱熹承袭此说,在《中庸章句序》中说:"中庸何为而作也?子思子忧道学之失其传而作也。"子思,孔子之孙,名孔伋,是战国初期儒家学派的重要代表人物,历史上被称为"述圣"。其主要著作《汉书·艺文志》著录有《子思》二十三篇,已佚。

北宋时期,在大胆疑古的学术环境下,开始有人把《中庸》的思想内容与《论语》相比较,从而对《中庸》的作者问题提出质疑。欧阳修说:"子思,圣人之后也,其所传宜得其真,而其说有异乎圣人者,何也?"

目前,学界一般认为,《中庸》可能不是子思一人所作,而是子思与其门人多人完成的。

二、《中庸》的思想内容

"四书"之中,《中庸》虽然篇幅不大,只有三千多字,但是其中包含了极为丰富而又深刻的哲理，是儒家思想中行为道德标准所要达到的最高境界，研读起来有较大难度。这从朱熹建议研读"四书"的次序可以看出。朱熹的建议是先《大学》，以定其规模；次《论语》，以立其根本；次《孟子》，以观其发越；次《中庸》，以求古人之微妙处。把《中庸》放在了研读次序的最后，可见其难度在"四书"中是最大的。

《中庸》的思想内容，概括来说，就是把"中庸"作为道德行为的最高标准，把"诚"看作世界的本体，认为"至诚"就能达到人生的最高境界，并且提出了"博学之，审问之，慎思之，明辨之，笃行之"的学习过程和认识方法。

《中庸》的思想体系中，"至诚"意义明确，容易理解，不必解释。那么，什么是中庸呢？

"中庸"一词，最早见于《论语》。《论语·雍也》："子曰：'中庸之为德也，其至矣乎！民鲜久矣。'""中庸"被孔子奉为至德，是孔子学说中的重要思想。孔子主张做任何事情都要分寸适度，"过犹不及"。中庸之道用以指导修身，使自己的言行保持中正，性情和谐不乖戾；用以指导行动，把握宽严适度，做事恰到好处。《中庸》的作者就是在孔子这种思想基础上进一步加以发挥的。

郑玄认为"中庸"即"中和之为用"，没有进一步深入阐发。其实，《中庸》第一章里已经明确解释了"中"与"和"的哲学含义，并把"致中和"作为最高境界："喜怒哀乐之未发，谓之中；发而皆中节，谓之和。中也者，天下之大本也；和也者，天下之达道也。致中和，天地位焉，万物育焉。"可以看出，"中""和"都是比较抽象的哲学概念。就性而言为中，就情而言为和；就体而言为中，就用而言为和；就静而言为中，就动而言为和。如此，天地各在其位，生生不息，万物各得其所，成长发育。程颐、朱熹认为"中庸"就是不偏不倚和定理常道，其实并没有真正解释清楚"中庸"处世哲学方面的深刻含义。

纵观《中庸》全篇，主要讲了以下几个方面的内容：中道与修身，论述了遵循本性（天命）的意义；中道与齐家、治国，论述了知与行的关系以及家庭和睦与国家安定之间的关系；中道与诚道，论述了道与诚的关系；中道与圣人，论述了圣人之道。总之，中庸就是合乎人类社会生活的正当行为，人人能够做到，也是人人应该做到的。

《中庸》主张以"诚"明德，通过"博学""审问""慎思""明辨""笃行"的修身方法和学习过程提高自身修养，具有积极的现实意义和实践价值。

简言之，人如能通过努力修学，发挥"中"的功能以待人接物，就一定能有效地从源头上约束其喜怒哀乐之情，从而达到"和"的境界。这种以"中和"而贯天人为一的思想，可以说是《中庸》一书的精髓。当然，《中庸》

认为古代圣人是生而知之者，"不勉而中，不思而得，从容中道"，这种认识显然是唯心主义的。《中庸》所说的贤人通过刻苦修炼，学而知之，普通人困而知之，倒是符合实际的。

三、古人对《中庸》的评价

古人非常重视《中庸》，认为《中庸》是儒家谈人生哲学的宝典，欲探儒学之精髓，必读此书。

宋朝程颢、程颐指出，《中庸》放之则弥六合，卷之则退藏于密。意思是说，此书是最高的学问，可以指导人们的一切言行，奉行终身。

宋朝黎立武《中庸指归》说："《中庸》者，群经之统会枢要也。"认为《中庸》是儒家经典中最重要的著作，起着统领群经的作用。

宋朝朱熹认为："历选前圣之书，所以

提挈纲维、开示蕴奥，未有若是之明且尽者也。"朱熹认为，《中庸》在群经中提纲挈领，是把儒家的深奥思想阐发得最清楚最详尽的一部著作。

四、《中庸》在当今社会的现实意义

二十世纪以来，由于受西方思想文化的影响，现代中国人逐渐与中国古代经典产生了隔膜，以至于《中庸》的思想受到误读。其实，《中庸》一书，能够从古代传承下来，本身就说明它有自身的价值。在世界日益走向多元化的今天，重新审视中华优秀传统思想文化的价值，是社会主义新时代文化建设的需要，更是中华民族伟大复兴的需要。

当今社会，科技发展日新月异，我们的思想既要紧跟时代的步伐，又不能丢掉了优良的民族文化传统。与时俱进，创新与继承不可分割。其实，孔子就是一个最识时务的人，他说："君子之中庸也，君子而时中。"孔子能够适应时代的发展变化随时调整自己，被孟子称为"圣之时者也"。"中庸"思想是孔子学说中最基本的范畴之一，是贯穿孔子思想体系一以贯之的大道，也是孔子思想精华之所在。其充分反映了孔子的人生智慧，以"执两用中"的思想方法、权变时中的理性精神，适度把握和处理人生各种社会关系，致力于培养理想人格、提高心性修养，努力达到与天地为一、与宇宙同体的止于至善之境界。

《中庸》思想与社会主义核心价值观中的"文明、和谐、公正、敬业、诚信、友善"等是高度吻合的。可以认为，正是源于《中庸》等优秀传统文化经典的长期滋养，才形成了我们今天完整的社会主义核心价值观的思想理论体系。"中庸"思想贯彻于事物自身的内在规律、人的思维方式、行为方式等各个方面，对于当代社会提倡人的身心发展、促进家庭和睦、协调人际关系、治国安邦、国际合作，乃至实现自然与人类整体的和谐发展，都具有重要的实践价值。《中庸》是儒家思想文化的重要组成部分，是中国古代哲学和中国人智慧的集中体现。它既提供了一种非常高明的思想方法，又阐述了建立在儒家道德学说基础上的道德伦理原则。在当代中国，要构建和谐社会与和谐人际关系，我们更应该认识、发扬和运用古人留下的中国智慧，充分发挥它的巨大思想价值和文化价值。因此，对于这一部经典的现代解读，也就有着重要的现实意义。

Contents

中
庸

第一章

Book 1

天命 [1] 之谓性，率性 [2] 之谓道，修道之谓教。道也者，不可须臾离也，可离非道也。是故君子戒慎乎其所不睹，恐惧乎其所不闻。莫见 [3] 乎隐，莫显乎微，故君子慎其独 [4] 也。喜怒哀乐之未发，谓之中；发而皆中节 [5]，谓之和。中也者，天下之大本也；和也者，天下之达道也。致中和，天地位 [6] 焉，万物育焉。

What Heaven has conferred is called The Nature; an accordance with this nature is called The Path of duty; the regulation of this path is called Instruction. The path may not be left for an instant. If it could be left, it would not be the path. On this account, the superior man does not wait till he sees things, to be cautious, nor till he hears things, to be apprehensive. There is nothing more visible than what is secret, and nothing more manifest than what is minute. Therefore the superior man is watchful over himself, when he is alone. While there are no stirrings of pleasure, anger, sorrow, or joy, the mind may be said to be in the state of Equilibrium. When those feelings have been stirred, and they act in their due degree, there ensues what may be called the state of Harmony. This Equilibrium is the great root from which grow all the human actings in the world, and this Harmony is the universal path which they all should pursue. Let the states of equilibrium and harmony exist in perfection, and a happy order will prevail throughout heaven and earth, and all things will be nourished and flourish.

【注释】［1］天命：人得之于先天的禀赋。［2］率性：遵循本性。［3］见（xiàn）：同"现"，显现。［4］独：指独处，不与别人在一起的时候。［5］中（zhòng）节：符合法度。［6］

位：位置正。

【译文】人得之于先天的禀赋叫作性，遵循本性叫作道，依照道修身叫作教。道，一刻也不能离开，如果可以离开，就不是道了。所以，君子在看不到的地方也保持谨慎，在听不到的地方也保持敬畏。没有什么比隐蔽的东西更明显，没有什么比细微的东西更显著，所以，君子在一人独处的时候很谨慎。喜怒哀乐没有表现出来的时候，叫作中；喜怒哀乐表现出来以后符合法度，叫作和。中，是天下的根本；和，是天下的通途。达到中和，天地就各安其位了，万物就能生长繁育了。

【解读】本章具有全书总纲的性质，以下各章均围绕该章内容展开，研读本章，要明确五个概念及其关系。这五个概念是：性、道、教、中、和。

首先说"性"。"天命之谓性"，所谓天命，就是指人得之于先天的禀赋。在儒家看来，这种先天的禀赋首先表现为人与生俱来的"性本善"。儒家学者大都是主张"性善论"的，《三字经》开头两句就是"人之初，性本善"。承认人人具有天然的善本性，人人皆有自然的向善本能，这正是本章立论的基础。

其次说"道"。"率性之谓道"，所谓率性，就是遵循本性。这里包含两层含义，一是尊重。承认人性本善，人人向善，便是尊重人性的体现。二是顺应。无论做人还是做事，都要遵从这一本性，顺应人性的发展而非禁锢甚至摧残人性。顺应人性，就应肯定人人皆有合理的欲望，人人皆有自身的需求。战国告子曾说："食色，性也。"（《孟子·告子上》）便是对人合理欲望的肯定。后世儒家特别是宋代朱熹提出"存天理，灭人欲"的主张，一度受到很多人的误解和批判，认为这是对人性的禁锢。其实不然，朱熹所说的天理，即人天然的合理欲望，合理需求。

而要消除的人欲，则是不合理的欲望，如私欲、贪欲等。只有消灭不合理的人性，才能更好地遵循善的人性。尊重顺应本善人性的自然延伸，便是"道"。这是个人发展、社会进步必须遵循的客观规律。

再说"教"。"修道之谓教"，所谓修道，就是修前面所讲之"道"。对个人而言，即用道不断改造自己，不断完善自己并使之不与生命规律的大道相悖；就社会而言，即顺应时代发展的历史潮流而不断进步。这一修道的过程就是"教"，它有时是一种自我反省的"自教"，有时是一种在他人教诲下的"他教"。闭门思过，三省吾身可算其一，是为自教；摸着石头过河，在无路之处开辟出一条道路来，也为"自教"，是一种"修道得道"的自教。此种自教要比前一种高了一个层次。

"他教"，孔子开设私学，弟子三千，正是为了寻出一条修身的大道。教育者的首要任务便是帮助受教育者找到个人修养、发展的

致中和天地位

焉萬物育焉

語出中庸 己亥秋月 仲亭 书

录《中庸》句　张仲亭　书

大道，学做"真人"。总之，"修道之谓教"，
其中最为关键的就是在遵循基本人性的同时，
不断修正、提升自己，不违背生命人伦的大道，
这就是"教"的意义所在。

再来说"中"。"喜怒哀乐之未发，谓
之中。""中"似乎是藏在心里的一种状态。
人受到外事外物的触动，会产生喜怒哀乐之
情，不被触动或虽被触动未激发出来，就叫
作"中"。这表明，它是人们生来就有的一
种东西，是喜怒哀乐、贤愚不肖、善恶仁义
等产生的本源。所以说，"中也者，天下之
大本也"。这种理论显然是唯心主义的。程颐、
朱熹等理学家用"不偏"来解释"中"，不偏颇，
正是"中"没有被过度激发而发生偏颇的一
种状态，能够保持住，很不容易。从个人修
养的角度来看，只有圣贤能做到"不以物喜，
不以己悲"，这是常人很难达到的境界。

最后说"和"。"发而皆中节，谓之和"，
君子圣人并非没有喜怒哀乐，只不过是他们

当喜则喜，当哀则哀；君子圣人也并非不喜形于色或悲从中来，只不过他们知"时"知"度"，当发则发，当止则止，做事"中节"，遵循规律，不违正道。所以说，"和也者，天下之达道也"。为人处世如能达到"和"的境界，那该是一个多么理想的社会啊！如此，就会"天地位焉，万物育焉"。

第二章

Book 2

仲尼曰："君子中庸[1]，小人反中庸。君子之中庸也，君子而时中；小人之中庸也[2]，小人而无忌惮[3]也。"

Zhongni said, "The superior man embodies the course of the Mean; the mean man acts contrary to the course of the Mean. The superior man's embodying the course of the Mean is because he is a superior man, and so always maintains the Mean. The mean man's acting contrary to the course of the Mean is because he is a mean man, and has no caution."

【注释】[1]中庸：不偏颇，不过头，不欠缺，保持自然常态，是为中庸。[2]小人之中庸也：据朱熹《四书章句集注》，王肃本、程颐本皆作"小人之反中庸也"。[3]忌惮：顾忌和畏惧。

【译文】孔子说："君子中庸，小人违反中庸。君子中庸，是因为君子行事时刻都遵照适中原则；小人违反中庸，是因为小人行事无所顾忌。"

【解读】此处"中庸"应作动词看，意为符合中庸之道。孔子感慨说，君子的言行举止大都符合中庸之道，不偏颇，不过头，不欠缺，一切都是那么完美，恰到好处。而小人的所作所为却常常背离中庸之道。而且，孔子还进一步分析了小人背离中庸之道的根本原因，即小人为人处事没有顾忌和畏惧。由此不难看出，要让自己的言行举止"中庸"，要成为孔子赞叹的君子，首先就要做到心存敬畏，按自然规律为人行事。

敬畏自然规律。天行有常，不为尧存，不为桀亡。大自然运行有它自己的规律，我们应该敬畏自然规律。人生天地之间，首先应学会敬畏我们赖以安身立命的地球。对天地自然心存敬畏，方能正确认识自然规律，顺应自然规律，从而更好地造福人类。纵观人类社会发展史，那种违背自然规律，凭着满腔热情征服自然的"壮举"，带给人们的往往不是福音，而是深重的灾难。比如围湖造田，一时看，满足了人口增长产生的土地需求，满足了人们吃饭穿衣的需要；但从长远看，却造成了生态失衡，造成了连年的水涝灾害。对自然肆无忌惮地索取、改造，必然会遭到自然的无情报复。我们今天发展民生，进行社会主义建设，尤其要注意这一点，要讲"中庸"，要取之有度，千万不能为了短时的经济效益而牺牲了子孙后代的绿水青山。

敬畏法律规范。法律规范的存在，正是为了匡正人们的偏颇、极端、不当之举，在某种程度上，能做到敬畏法规、遵守法规就是中庸。比如交通规则的制定，就是为了保障人们安全出行、顺利出行，红灯停绿灯行这些基本的规则，即使幼儿园的小孩子都能熟记于心。可在我们的生活中，偏偏有那么一些人对这些规则视若无物，闯红灯、超速行驶、饮酒驾驶甚至醉酒驾驶者屡禁不止。这不仅是对法规缺乏敬畏，也是对生命缺乏敬畏。无视法规，凭一己之喜好，由着性子胡来的人，正是孔子所深恶痛绝的"反中庸"的小人。

礼敬他人。与人交往，也应讲中庸之道。就对待他人的态度而言，无论其高低贵贱，均应同等对待，给予应有的礼敬。当然，那种一味谦让，一味温和，不讲原则的老好人是不在中庸之列的。莎士比亚说过，为人处事，不要想到什么就说什么，凡事必须三思而行，对人要和气，可是不要过分狎昵。可见，秉承中庸之道待人接物，中外是一致的。

爱岗敬业。中庸之道，不仅体现为人内在的修养、道德、境界和追求，更具体地表现在人的言行举止中，表现在人处事的态度和做事的整个过程中。讲求中庸，践行中庸，首先要求我们做到爱岗敬业。无论我们做什么事情，无论我们从事什么职业，都要心存敬畏，这是我们把事情做好的前提。那种得过且过、敷衍塞责的态度是千万要不得的。在做事的过程中，要牢记一个"慎"字，要慎思，全面考虑事情的方方面面，尤其是细微之处，来不得半点马虎。其实，任何事情，都只有一种最好的解决方法，在工作中，我们要努力找到一个"最好"点。要慎言，要明白言多必失、说得好不如做得好的道理。要慎行，践行中庸，要知"度"，有分寸。

总之，我们在学习、工作和生活中，要讲求中庸，努力践行中庸，内心常怀敬畏，以中庸的道德原则时刻砥砺自己，这样，我们才能把事情做好，才能成为一个高尚的人，一个有道德的人。

第三章

Book 3

子曰："中庸其至[1]矣乎！民鲜[2]能久矣！"

The Master said, "Perfect is the virtue which is according to the Mean! Rare have they long been among the people, who could practice it!"

【注释】［1］至：极限。［2］鲜：很少。

【译文】孔子说："中庸大概是德行之中最高的吧！民众很少能够做到，这已经很久了！"

【解读】此章重在强调中庸践行之难，连孔子也发出如此感慨。中庸作为儒家思想里一种最高的道德标准，非但孔子时代的民众很少能够做到，放眼现在，真正能够践行中庸的人也是少之又少的。今天我们学习《中庸》，正确理解《中庸》并践行其道的价值就在于此。

中庸是最高的德行，践行起来自然是非常不容易的，具体表现在以下几个方面：

第一，知"道"难。欲行其道，先知其道。人们做事，常常有这样一种惯性思维：他首先要明白这是什么，进而要明白为什么做，怎样做以及做到什么程度。只有明确了做的必要性，想到做可能带来好的结果之后才会踏踏实实、认认真真地去做。孔子时代，教育并不普及，交通不便，资讯更不发达，民众大多不知中庸之道，更遑论践行了。即便在当今，广大民众对中庸的了解也不够深入。

第二，悟"道"难。知道莫如悟道。有的人嘴里说中庸，但并不愿意下功夫真正理解中庸。背几段古文，是非常容易的事，但把这些道理牢记在心里并且能够落实在行动上，却是难之又难。当前的国学热现象，其实鱼龙混杂，有的人只为装点门面，搞点形式主义的活动；有的人借国学之名，行谋利之实；有的人扯起国学大旗，沽名钓誉。这些人都没有真正重视"悟道"。中庸之道，贵在知行合一，贵在从我做起。中庸之用，旨在提高个人修养，如果怀着名利之心讲中庸，就偏离了中庸之道。

第三，行"道"难。悟道之后就要付诸实践。很多事情，说说容易，但真正落实到行动上就会发现，难！作为一种最高的道德原则，中庸不仅是一门心法，更是知行合一的学问。没有对中庸的身体力行，不从一桩桩一件件小事做起，中庸便是空谈。

践行中庸之道，要注重哪些方面呢？它在于心。人有七情六欲，幻化无形，猛地不知从何地冒出私、淫、贪来，我们又该如何运用中庸之道予以消灭？这时很多人可能就忘乎所以，率性而为了。它在于言。要知道言多必失，话说多了，有时甚而不假思索张口就出，就难免失之偏颇。它更在于我们的行为举止。行为举止要得体，要符合中庸之道，一次不难，难就难在时时处处，难就难在把握处事的分寸。有时我们想当然地去做了，却没有取得理想的结果。时间长了，有些人做事便因此少了些耐心，少了些恒心，践行中庸便落在了空处。

面对践行中庸过程中的种种困难，很多人可能望而却步，知难而退。但是我们要明白这样一个道理，中庸作为一种最高的道德标准，它是一面旗帜，指引着我们在个人修养的路途上永远向前进；它是一面镜子，时时照见我们的身影，帮助我们拭去脸上的灰尘；它还是一把尺子，量出我们"皮袍下面藏着的'小'来"，找到差距。我们尽管不可能时时处处事事都合于中庸，但应该迎难而上。我们必须坚信：只要心中有中庸这一道德高标，只要我们持之以恒地按中庸的要求去做，我们总能离中庸更近些。

第四章

Book 4

子曰："道之不行也，我知之矣：知^[1]者过之，愚者不及也。道之不明也：我知之矣，贤者过之，不肖者^[2]不及也。人莫不饮食也，鲜能知味也。"

The Master said, "I know how it is that the path of the Mean is not walked in: — The knowing go beyond it, and the stupid do not come up to it. I know how it is that the path of the Mean is not understood: — The men of talents and virtue go beyond it, and the worthless do not come up to it. There is no body but eats and drinks. But they are few who can distinguish flavors."

【注释】［1］知：同"智"。［2］不肖者：不贤之人。

【译文】孔子说："中庸之道不能实行的原因，我知道了：聪明人做得过了头，愚笨的人智力达不到。中庸之道不能显明的原因，我知道了：有才能的人做得太过分，没有才能的人做不到。没有人不喝水吃饭，但是很少有人能够真正知道滋味。"

【解读】本章承接上一章来回答为什么民众很少能够做到"中庸"。

中庸之道是儒家哲学核心思想之一，是儒家修养所追求的至高境界。"中"即"中正"，不是无原则的折中主义、调和主义，而是对客观世界的内在规律的准确把握。所以，我们只有具备应有的学习能力，通过自己谦虚谨慎的学习，对万事万物有清醒、准确的理解与认识，才能够在日常行为中准确把握中正的尺度，才能很好地处理事物之间的关系，从而实现对中庸之道的践行。

然而遗憾的是，在现实生活中，正如喝

水吃饭对于一个人来说非常重要，但很少有人真正懂得其中的道理。同样，"中庸"之道很重要，但许多人却不能真正了解"中庸"的内涵，也就不能正确地践行中庸之道。朱熹在《四书章句集注》中也曾对"道之不行"进行过分析。

朱熹准确地分析了道不显明的原因。人与人之间不是千篇一律、整齐划一的，而是千差万别的，的确存在一些先天性的差异。聪明之人由于天资聪慧，有时会感觉"道"浅近无味，不屑于践行，或者是把"道"想得玄远深晦，而背离了中庸之道的本意。这种人往往容易自高自大，认为自己有能力、有水平，就会失掉谦逊的心态，做事情也会无所顾忌，容易过头，这是一种过犹不及的表现。愚笨之人则由于天资所限，理解力较差，将中庸道义想得过于单纯而达不到道的要求，或者是不能真正理解中庸之道的含义，因而不知道该如何去践行道义，于是选择安于现

中庸

状，不思进取。这就是道之不行的原因。当然，道之不明的道理与之相近。朱熹说："由不明，故不行。"这句话准确地指出了两者的联系。

本章中提到的"过犹不及"具有深刻的启发意义。孔子对此有准确的把握，在孔子看来，做事情过分和做得不够效果是一样的，这可以看出孔子的中庸智慧。

在当今社会，这种中庸智慧仍然闪耀着光辉：在与人相处时，诚实固然很好，诚实过分了而不知变通，就是木讷；谦虚固然很好，但谦虚过分了，就显得虚伪；宽容固然很好，但宽容过分了而失掉底线，就是纵容。总之，在任何时候，做任何事情，上至治国理政，下到与家人相处，都应该把握尺度，切忌过度。

我们就是要有一颗谦逊的心，不自卑、不气馁，努力学习领悟中庸之道，以求在生活中显明中庸之德，践行中庸之道！

第五章

Book 5

子曰："道其^[1]不行矣夫！"

The Master said, "Alas! How is the path of the Mean untrodden!"

【注释】［1］其：句中语气词，表示推测语气。

【译文】孔子说："中庸之道大概难以实行了！"

【解读】"中庸之道大概难以实行了！"这是孔子对难以实行中庸之道而发出的深深感叹。本章在此也有承上启下的意味。

在前两章中，孔子看到中庸之道虽为天下至道，但由于"知者过之，愚者不及也""贤者过之，不肖者不及也"，民众很少有人能够做到。当时的社会现状，带给孔子的是内心的深深失望：社会礼崩乐坏，诸侯相互征伐，国家动荡不安；人们受社会风气的影响，大都汲汲于富贵，蝇营狗苟、不恤国事；有少许看透世事的人则高蹈避世，独善其身。缺少能够坚守道义，兼备大仁、大智、大勇之人，又有谁能够挺身而出，挽救时代之弊，承继文化文明？当然，在孔子的感喟之中，我们也可以感受到他内心的担当与责任感，看得到孔子一以贯之的坚守：道其不行，天命在我，由我来推行。

在这样一条充满了荆棘的征途上，孔子知其不可而为之，虽然命途多舛，始终坚持道义；在现实中屡屡碰壁、有志难伸之时，他广收学徒，聚弟子三千，致力于培养谦谦君子，播撒希望的火种；他周游列国，矢志不渝，践行着中庸之道，渴望恢复礼乐文明。

孔子的这种担当意识为后来者树立了精神楷模。"亚圣"孟子豪迈地宣称："如欲平治天下，当今之世，舍我其谁也？"面对当时诸侯争霸、生灵涂炭、动荡不安的社会现实，为了拯救陷于水深火热之中的民众，孟子率弟子们奔走于各诸侯之间，积极推行"仁政"学说，虽被各国诸侯嘲笑为"迂阔"，却仍痴心不改。

位居"唐宋八大家"之首的韩愈，面对当时社会儒学幽晦不明，全国上下崇佛的现实状况，挺身而出，甘冒生命危险，上书劝谏皇帝，大力排佛，意图恢复儒家的正统地位。结果触怒皇帝，被贬到距京师千里之外的潮州这一瘴疠之地。他为了国家清明，即使牺牲生命也在所不惜，浩然正气令后人肃然起敬。

鲁迅曾说过，希望本无所谓有，也无所谓无，这就像地上的路，其实地上本没有路，走的人多了，也便成了路。鲁迅先生是一位忧国忧民的人。基于当时中国破败不堪、国人心灵麻木的现状，毅然弃医从文，要用笔来唤醒国人，疗救国人那麻痹的灵魂。他不惧国民党反动派的明枪暗箭，坚持以笔为武器，战斗不息，死而后已，最后赢得民众的爱戴与敬仰，成为国人的精神脊梁。

第六章

Book 6

子曰："舜其大知[1]也与！舜好问而好察迩[2]言，隐恶而扬善，执其两端，用其中于民，其斯以为舜乎！"

The Master said, "There was Shun: — He indeed was greatly wise! Shun loved to question others, and to study their words, though they might be shallow. He concealed what was bad in them and displayed what was good. He took hold of their two extremes, determined the Mean, and employed it in his government of the people. It was by this that he was Shun!"

【注释】［1］知：同"智"。［2］迩：近。

【译文】孔子说："舜大概是具有大智慧的人了！他喜欢询问，又善于考察浅近的话语。隐藏

别人的缺点，宣扬别人的优点。掌握过与不
及两端的意见，用适中的做法处理民事。这
就是舜之为舜的原因吧！"

【解读】本章通过感叹舜的大智慧，来谈论该
怎样践行中庸之道。

　　在孔子看来，舜的伟大主要在于他能够做
到好问、好察迩言、隐恶扬善、执两用中等几
个方面。"君子好问"中的"问"，首先是心
中有了疑难问题向别人请教，不耻下问。可面
对疑惑，有些人羞于启齿，不好意思向别人请
教，并且百般掩饰自己的无知，最终只能沦为
庸常之人，这是一种愚蠢的做法。可有些人却
截然相反，能够勇于面对，不断向别人请教，
孜孜以求，在不断释疑解惑中，逐渐提高自己
的道德学问。孔子就是这方面的榜样，在孔子
的心中，真正的智慧就是老老实实地承认不足，
然后虚心向别人请教，孔子也是这样做的。孔
子曾经向郯子请教官职的名称，向苌弘请教音

舜　吴泽浩 绘

乐，向师襄学琴，向老聃问礼。孔子自己也承认"三人行，必有我师焉"，这不仅是孔子的谦虚，更可以看出他的好学求进。孔子在任何场合，都不惧非议，不怕被人笑话，虚心请教。正是这种精神，最终成就了千古圣人。面对疑惑，虚心向别人请教才是一种明智的行为。当然，"君子好问"中的"问"，还应包括博闻慎取的审慎态度。面对问题，广泛向别人询问，征求大家的意见与建议，可以凝聚共识，有效地避免由于自己的狭隘、偏执而导致的错误。

好察迩言，指的是善于考察身边的话语、浅近的话语。中庸之道本身并不是玄远缥缈之道，而是日常生活中处理事务时所应遵循的准则，中庸之道存在于生活中的每个细微之处。所以，大舜时刻考察身边的浅近话语的做法，正反映出他对中庸之道的深刻领悟与执着：对细微的话语都细细品味，领悟其中蕴含的深刻道理，他又怎会忽略生活中其他细节呢？如此谨慎地坚守中庸之道，为人处世又怎会有过错呢?

隐恶扬善,是说隐藏别人的缺点,宣扬别人的优点。当然,这里的"恶",指的是别人无关紧要的小过失,瑕不掩瑜、无伤大雅的小缺点。大舜对别人身上的这些"恶",不会过多计较,更不会大肆宣扬。对别人身上的善言善行,则加以借鉴、弘扬,从而鼓励大家一起变得美好优秀。值得注意的是宽容不是包庇放纵,不是没有底线。相反,对大奸大恶之徒,则一定会加以严惩。隐恶扬善体现了大舜宽广的胸怀和仁爱的精神。一个人犯了错误,如果始终被人抓住不放,他可能就会自暴自弃,沉沦下去。如果包容他的小过错,给予他改错的机会,这人也许会幡然悔悟、弃恶从善的。孟子对于大舜隐恶扬善这一点,有深刻的理解。孟子认为舜帝有伟大之处:总是与人共同做善事,舍弃自己,顺从别人,乐于吸取别人的长处来行善。从他种地、做陶器、捕鱼一直到做帝王,没有哪个时候不向别人学习。吸取别人的优点来行善，就如同与别人一起行善。因此，君子最重要的就是与别人一起行善。

执两用中则是典型的中庸之道，是大舜达到最高思想境界的标志。执两用中所传达出的就是做任何事情都要不偏不倚、无过无不及的道理。任何事情，通过对"过""不及"两个极端的分析，然后找到在当时形势下最恰当的做法，最后再去推广，施用于人民身上，这才会达到好的效果。这就是大舜一种杰出的领导艺术，也正是他坚持中庸之道的体现。不过，要想真正做到"中庸"，不仅要有中庸之道的自觉意识，而且还需要有丰富的经验和过人的见识，以及更为博大的胸襟和宽容的气度。当然，大舜就是拥有仁义之心同时也具备大智慧的圣人，所以孔子对大舜充满无限敬仰之情，也为后世践行中庸之道树立了标杆。

第七章

Book 7

子曰："人皆曰予^[1]知，驱而纳诸罟攫^[2]陷阱之中，而莫之知辟^[3]也。人皆曰予知，择乎中庸，而不能期月^[4]守也。"

The Master said, "Men all say, 'We are wise'; but being driven forward and taken in a net, a trap, or a pitfall, they know not how to escape. Men all say, 'We are wise'; but happening to choose the course of the Mean, they are not able to keep it for a round month."

【注释】［1］予：我，自己。［2］罟（gǔ）：捕鸟兽的网。攫（huò）：装有机关的捕兽的木笼。［3］辟：同"避"。［4］期月：一个整月时间。

【译文】孔子说："人们都说自己聪明，可是

47

被驱赶进入罗网陷阱却不知躲避。人们都说自己聪明，可是选择了中庸之道，却连一个月的时间也坚持不下来。"

【解读】这里是说，中庸的大德难以被常人掌握，只有大智慧者才可驾驭，小聪明可以休矣！本章运用了比兴的艺术手法，谈到了中庸之所以难以实行，是因为被欲望所笼罩。

熙熙攘攘的热闹红尘之中，有多少执迷不悟的争名之徒、逐利之夫，往往深陷名罟利网之中不能自拔，到头来都是竹篮打水一场空，后悔莫及，何也？

一类是爱钱如命的人。他们的共同点就是信奉"钱本位"，迷恋孔方兄。例如：柳宗元笔下那个善于游泳的永州人，船破落水了，身上缠着一千枚大钱，至死也不肯把钱扔掉；巴尔扎克笔下的守财奴葛朗台，临死之前还要抢夺金十字架；吴敬梓《儒林外史》中的吝啬鬼严监生，怕浪费了灯油，挑了一根灯草才肯咽气。

曹雪芹借跛足道人之口所唱的《好了歌》说："终朝只恨聚无多，及到多时眼闭了。"钱乃身外之物，生不带来，死不带走。命都没有了，要钱何用？这样的人生，糊涂啊！

一类人是贪官污吏。从古至今，引人反省的贪官似乎从来都没有缺席过，你方唱罢我登场，前赴后继。

唐朝元载，学识渊博，才干卓著，但当他身居相位之后，大兴土木，修建豪宅，日日笙歌，比皇帝还高调。最后被皇帝赐死，房屋充公，其豪宅足够分配给几百名有品级的官员居住。

西晋的石崇，曾任荆州刺史，他不为民谋利，反而绞尽脑汁地搜刮民财，甚至劫掠过路的商人，无所不为，积累成巨富。石崇不仅嗜财如命，而且还热衷于高调炫富，竟然与皇帝的舅父王恺斗富：王恺饭后用糖水洗锅，石崇就用蜡烛当柴烧；王恺在家门前挂起四十里的丝布，石崇就做五十里的绸缎；王恺用石脂涂墙壁，石崇就用当时名贵的香料花椒……豪富的石崇最后并没有逃脱被杀的命运。

贪婪让人蒙蔽了理性，欲壑难填，结果是越走越远，不知不觉中忘记了初心，背离了誓言。想邪招，走偏锋，不知适可而止，不守中庸之道，"盲人骑瞎马，夜半临深池"，自己身临险境而不知，最终就像贪吃的鸟儿丧命于网中一样。

真正珍贵的幸福，从来不是来源于身外之物。如何才能躲开生活中的名利陷阱？需要老老实实地按照自然规律去找寻本性之善，放弃贪欲，做人生的减法，冲破名利羁绊，遵循中庸之道，做一个诚实规矩、内心坦荡的人。

第八章

Book 8

子曰："回^[1]之为人也，择乎中庸，得一善，则拳拳服膺^[2]而弗失之矣。"

The Master said, "This was the manner of Hui:—he made choice of the Mean, and whenever he got hold of what was good, he clasped it firmly, as if wearing it on his breast, and did not lose it."

【注释】［1］回：颜回，孔子弟子。［2］拳拳服膺：牢牢地保持在心中。拳拳：恭谨的样子。服膺：放置在胸口。

【译文】孔子说："颜回为人，选择了中庸之道，得到了好的学说，就牢牢地保持在心中不失去它。"

【解读】这里说的是智者的坚守。本章是针对上一章所说的，选择了中庸，却连一个月也不能坚持的人而言的。

中庸不是一个低层次的境界，是君子在现实行为选择中做出的不偏不倚、恰到好处的正确选择。一时、一事做到中庸并非真正的中庸。时时想着中庸，立志做好中庸，事事成就中庸，即使犯了错，错而能改，追求不贰过，也能成就坦荡的君子之境界。颜回做到了，就是人生得道的榜样。

生活中，做不到中庸的原因应该有很多方面，但其中三条很关键，一个是不懂中庸的价值，一个是懂了也不会去做，一个是做了不能坚持。

人之于世，民智未开者，大有人在，不接受教育或者是教育的缺失、不到位，使得这些人不能正确地理解和把握中庸的尺度，"过犹不及"，聪明的人做过了头，不聪明的人又达不到要求。

有了教育，经受不起世俗的诱惑，迷失

了本心，即便一时清醒，做到一时的中庸，却难以坚持。而颜回呢？来看一看孔子的爱徒，他的选择能带给大家多少思考呢？

首先是颜回选择了中庸，按自然规律办事，走出了一条艰难却是唯一能成功的康庄大道。而我们也能从颜回身上看到诚实、正心、立志高远的高贵品质。

民间传说，天赐颜回一锭金，他却毫不犹豫地回复说"外财不发命穷人"，明心见性。他一生践行孔学，即使穷居陋巷、箪食瓢饮，仍择行中庸，不改其乐，贤哉！

再看，颜回"得一善"，是看重一善，积小善为大善，才得以"积善成德，而神明自得，圣心备焉"。他是孔夫子眼中唯一称得上好学的弟子，"敏而好学"；他退而躬行，是日常生活中的实践家，日日坚持修身养性，得以成就"不迁怒、不贰过"的人生高度。今天的我们，要见贤思齐，"行远必自迩"，千里的路，始于脚下扎实的每一步，从生活的细节中展示恰到好处的中庸魅力，发一善念，行一善事。

最终要在践行中坚守中庸，"拳拳服膺而弗失之矣"，是说颜回牢牢地把它放在心上，再也不让它失去。这就是颜回不同于常人的圣德。

周游列国、矢志不移、退而著书立说成万世师表的孔子，手持汉节北海牧羊的苏武，身陷囹圄视死如归的文天祥，历尽艰辛坚持抗清的顾炎武，意志坚定浩然正气的共产党人李大钊、方志敏、杨靖宇、杨开慧、江姐等革命烈士，还有新时代涌现出来的无数先锋模范人物，他们都有一颗坚守的心，他们是中华民族的脊梁。

第九章

Book 9

子曰："天下国家可均[1]也，爵禄[2]可辞也，白刃可蹈也，中庸不可能也。"

The Master said, "The kingdom, its states, and its families, may be perfectly ruled; dignities and emoluments may be declined; naked weapons may be trampled under the feet; — but the course of the Mean cannot be attained to."

【注释】[1]均：平治。[2]爵禄：爵位和俸禄。

【译文】孔子说："天下国家可以平治，官爵俸禄可以辞掉，锋利的刀刃可以踩踏，中庸却不能够做到。"

【解读】这里是说，彼时的世道，中庸难以做到，甚至比登天还难。弦外之音是即使困难再大，也要重视弘扬中庸之道。

第一，中庸是一种心境。

中者，为"度"，也就是"分寸"，为人处事不偏不倚，恰到好处。庸者，用也，就是用到生活实践中。

中庸不是平庸和放纵，而是合乎中道和常道，引导人们约束自己，不要过多追求物质利益，不要被名利所困。启示人们要戒除贪欲，成为守节持中的君子。

第二，中庸相比于智、仁、勇，更难做到。

"天下国家可均也"，天下国家能治理好，是一种智慧，但未必能做到中庸。商鞅变法使秦国强大，但严刑酷法、不行仁义，最终身首异处。也就是说，他过分强调法治，而仁慈有所不及，不得中庸之要领。

"爵禄可辞也"，官爵俸禄也能轻易放弃，是一种忠义，但未必能称得上中庸。许由洗耳让天下的清高，陶潜挂印归隐的潇洒，伯夷、叔齐不食周粟的节义，这些都是独善其身的典范，却少了知其不可而为之的社会担当。
这是义过而勇不及。

可见，中庸之道，不仅仅需要智慧、忠
义、勇敢，更需要中正的坚守与执着。看周公，
虽一时"恐惧流言日"，却凭着"一饭三吐哺，
一沐三握发"的精神勤于政务，制礼作乐，
"允执其中"，仁爱天下，方定周八百余载。
有德之周公，得其寿，享其名。可见，中庸
是高于智、仁、勇的境界，因而更难。

懂得中庸很难，实践中庸更难。连孔子
在践行之中也有曲折、坎坷。孔子的弟子宰
予口才很好，但孔子却不喜欢。但后来孔子
认识到自己的问题——"以言取人，失之宰
予"，于是改变了自己的偏颇，把宰予评为
言语科翘楚，位在子贡之前。中庸的道路崎
岖坎坷，孔子在长期的坚守和实践中才达到
了中庸之道。

复圣颜回践行中庸，是难得的范例。

颜回的高尚在于他在清贫之中对道的追

求。他是孔子最欣赏的学生，居孔门十哲之首，是儒学的第一实践家。箪食瓢饮居陋巷，安贫乐道；敏而好学貌似愚，乃中庸典范。他的"不迁怒、不贰过"的境界，让后人难以企及。

中庸思想是中华民族的文化精髓，是对人类文明的重大贡献，应用于国际关系，具有重要的现实意义和实践价值。中华文明向来提倡"己欲立而立人，己欲达而达人"。把握恰当的度，互不伤害，共同发展，追求各个国家之间的和谐共生，才能实现人类命运共同体的伟大目标。这个世界需要中庸，需要大家共同践行中庸，让和睦、和谐与和平成为时代主旋律。

第十章

Book 10

子路^[1] 问强。子曰："南方之强与？北方之强与？抑^[2] 而^[3] 强与？宽柔以教，不报^[4] 无道，南方之强也，君子居之。衽金革^[5]，死而不厌，北方之强也，而强者居之。故君子和而不流^[6]，强哉矫^[7]！中立而不倚，强哉矫！国有道，不变塞^[8] 焉，强哉矫！国无道，至死不变，强哉矫！"

Zilu asked about energy. The Master said, "Do you mean the energy of the South, the energy of the North, or the energy which you should cultivate yourself? To show forbearance and gentleness in teaching others; and not to revenge unreasonable conduct: —this is the energy of Southern regions, and the good man makes it his study. To lie under arms; and meet death without regret: — this is the energy of Northern regions, and the forceful make it their study. Therefore, the superior man cultivates a friendly harmony, without being weak. How firm is he in his energy! He stands erect in the middle, without inclining to either side. How firm is he in his energy! When good principles prevail in the government of his country, he does not change from what he was in retirement. How firm is he in his energy! When bad principles prevail in the country, he maintains his course to death without changing. How firm is he in his energy!"

【注释】［1］子路：名仲由，孔子弟子。［2］抑：连词，或，还是。［3］而：你的。［4］报：报复。［5］衽金革：兵器甲胄裹身。金：指兵器。革：皮革，这里指皮革制成的甲胄。［6］和而不流：性情平和而不随波逐流。［7］矫：坚强的样子。［8］不变塞：不改变操守。塞：不通达，这里指困厄，志向难以实现。

【译文】子路问怎样叫作强。孔子说："是南方的强呢？还是北方的强呢？还是你认为的强呢？用宽容柔和的态度教育人，不报复无道之人，这是南方的强，君子具有这种强。兵器甲胄裹身，死而后已，这是北方的强，强悍勇武的人具有这种强。所以，君子性情平和而不随波逐流，这才是真强啊！坚持中立不偏颇，这才是真强啊！国家有道的时候，不改变自己困厄时的操守，这才是真强啊！国家无道的时候，至死不改变自己的志向，这才是真强啊！"

【解读】子路问老师孔子什么是"强"。何谓强大、刚强？提出这样一个问题，非子路莫属，因为子路在孔门弟子中一向是刚正豪爽，好勇尚武。而对于刚强或强大的理解，历来是"仁者见仁，智者见智"。从孔子对子路这个问题的回答可以看出，真正的强大并不是勇力之强，好勇斗狠不是孔子所推崇的，真正的强大是内心的强大，精神力量的强大。

孔子没有直截了当地回答子路，而是循
循善诱。子路的好勇，老师孔子一直是很清
楚的，这种答问的方式，很好地体现了夫子
因材施教的高超的教育艺术。在孔子看来，
强大有三：南方之强，柔顺平静，宽厚温和；
北方之强，刚厉威猛，无坚不摧；君子之强，
立定中道，"和而不流"。不管哪一种刚强，
可以肯定的是都凸显了困境中的奋发，逆境
中的坚韧，挫折中的勇进，危难中的抗争，
这种不服输的精神是强者必须具备的特质。
但孔子最为看重的还是"中庸"之强，坚守
中道，"和而不流"，刚柔兼备，有着执着
的信念和永恒不移的志向。这才是真正的君
子之强。

孔子所言"南方之强"的具体内涵是"宽
柔以教，不报无道"。中华文化传统中历来
提倡恕道，用宽宏、容忍的态度待人，教育
和感化他人，不去报复他人的无理与恶行。

子路问强　李岩　绘

正如南方人的脾性，南方的气候环境湿热温
润，养成了南方人温和柔韧的性格特征，孔
子认为这种强大是柔中有刚，能够自然而然
地感化他人。一个人能否影响他人，可以用
是否宽容为标准去衡量。有了宽容，对别人
就不会睚眦必报，做事就能符合适度的原则，
就有了广阔的胸襟，这是一种更高的人生智
慧，更易得到别人的信任和拥护。这也最能
考验一个人的气量，这种境界非一般人所能
达到。

三国时期，乱世枭雄曹操与北方割据势
力袁绍对峙于官渡。袁绍实力强大，麾下谋
士如云，兵多将广，辎重充足。而曹操兵少
将寡，缺少粮草，且不占地利之势，南有孙
吴这一后顾之忧。时人都认为官渡之战曹操
必败无疑，连他手下的很多官员都与袁绍暗
通款曲，为失败留一条退路。后曹操用袁绍
谋士许攸妙计，奇袭袁军乌巢粮仓，继而击
溃袁军主力，一举奠定了统一北方的坚实基

础。曹操军队清理袁军大营时，发现了曹营人暗中写给袁绍的书信，他看都未看就下令付之一炬。他认为战事之初，袁绍实力强大，自己都难以自保，何况部众呢？曹操此举充满了大智慧，一举收拢了散乱的军心，同时他那阔大宽容的胸襟极大地影响了手下文武，获得了众人的拥戴。

那么何谓"北方之强"呢？北方与南方不同，北方荒寒凛冽，飞沙走石，环境恶劣。要想生存下去，就得与环境顽强抗争，这造就了北方人粗犷的性格和尚武好勇的精神。孔子认为这种强大霸道雄强至极，北方人敢于驰骋沙场，不畏马革裹尸。这种视死如归的勇毅和果敢，金戈铁马、一往无前的浩然之气是强大者的人生准则，但不符合孔子心中的"君子之强"。当年刘邦和项羽逐鹿天下、争霸四方之时，楚怀王曾约定先破秦入咸阳者王之。项羽力拔山兮气盖世，一味逞武用强，大杀四方，一路上所遇敌军皆殊死抵抗。而刘邦有大风起兮云飞扬的恢宏气度，怀柔安抚，所过之处秋毫无犯，一路上所遇敌军尽望风而降，所以他先于项羽进入咸阳。项羽的做法正所谓过刚易折不可久，与儒家的中和思想是格格不入的。

孔子最为看重的"君子之强"，其核心还是讲"中庸"，坚守中道。君子之强的关键是"君子和而不流""中立而不倚""国有道，不变塞""国无道，至死不变"。"和而不流"既强调个人修身，又注重为人处世，一个人率性随和，又能与他人和谐相处。但"和"不意味着放弃原则，人云亦云，而是信念坚定，不流俗，不媚俗，不同流合污，有着明确的价值取向和人生追求。并且立定中道不偏不倚，忠诚正直。国家政治清明之时，能够不忘初心再出发，牢记使命勇担当；政治无道混乱之时，能够坚守节操立高标，宁死不变见精神，这才是真正的强大。

因此，真正的刚强不是勇力的强大无敌，

而是精神的至刚至强。精神力的强大才能战胜自我。老子说："胜人者有力，自胜者强。"战胜了自己，才能信念坚定不动摇，志存高远有操守，才能柔中有刚，坚守中道，才能以天下为己任而不易，让生命与精神相映生辉。

第十一章

Book 11

子曰："素隐^[1]行怪，后世有述^[2]焉，吾弗为之矣。君子遵道而行，半涂^[3]而废，吾弗能已^[4]矣。君子依乎中庸，遁世不见知而不悔，唯圣者能之。"

The Master said, "To live in obscurity, and yet practice wonders, in order to be mentioned with honor in future ages: — this is what I do not do. The good man tries to proceed according to the right path, but when he has gone halfway, he abandons it: — I am not able so to stop. The superior man accords with the course of the Mean. Though he may be all unknown, unregarded by the world, he feels no regret. It is only the sage who is able for this."

【注释】［1］素隐：《汉书·艺文志》作"索隐"。

索：求。［2］述：记述。［3］涂：通"途"。
［4］已：停止。

【译文】孔子说："求取隐僻的歪道，行为怪诞，
后世也许会有人记述而留名，但我绝不会这
么做。君子遵循中庸之道行事，有的可能半
途而废，我绝不会停止。君子依循中庸之道，
一生不被世人知晓也不后悔，只有圣人能做
得到。"

【解读】孔子在本章中否定了两种不符合中庸
之道的错误行为。既批判了那些思想隐僻偏
颇、行为怪异的做法，也反对那些虎头蛇尾、
半途而废的做法。孔子认为，君子应当遵道
而行，"依乎中庸，遁世不见知而不悔"。

　　孔子首先批判了索隐行怪之人，这样的
人"后世有述焉"，但孔子立场鲜明地表示
"吾弗为之"。孔子指出有的人思想和言行
不合乎中庸之道，言论极端偏激，喜好哗众

取宠，行事荒诞不经，爱好标新立异。这些都是孔子所反对的，正如《论语》中所言"子不语怪、力、乱、神"，孔子不谈论怪诞暴力、混乱神异之事，现实人生是孔子关注的对象，他追求的是人世间的"大道"。

孔子否定与批判的第二类不合中庸之道的人，是虽能像君子那样遵道而行，却不能始终如一而半途而废的人。践行中庸之道需要君子有毅力，有恒心，锲而不舍，坚定不移。那些虎头蛇尾、朝秦暮楚的人，是无法成就中庸之道的。这是谆谆告诫人们：什么事情都要不忘初心，慎始而敬终。俗话说，行百里者半九十。许许多多的求索者，因为缺少耐心与坚毅，大都倒在了距离成功咫尺之遥的地方。

孔子所赞赏的就是"依乎中庸"而行的君子，他们能够做到"人不知而不愠"，对中庸之道一以贯之，追求到底，这种人就是圣人。所以，真正的中庸之道就是在日常生活中一种平淡，一种优雅，甚至是一种沉默寡言的形象。这样的君子消弭了名利之心而回归一片平常心，不急不缓，无喜无悲，他们只是沿着自己选择的方向，坚定不移地走下去，尽管长路漫漫，依然上下求索。

第十二章

君子之道费而隐 [1]。夫妇 [2] 之愚，可以与 [3] 知焉，及其至 [4] 也，虽圣人亦有所不知焉；夫妇之不肖，可以能行焉，及其至也，虽圣人亦有所不能焉。天地之大也，人犹有所憾。故君子语大，天下莫能载焉；语小，天下莫能破 [5] 焉。《诗》云："鸢飞戾天 [6]，鱼跃于渊。"言其上下察 [7] 也。君子之道，造端 [8] 乎夫妇，及其至也，察乎天地。

The way which the superior man pursues, reaches wide and far, and yet is secret. Common men and women, however ignorant, may intermeddle with the knowledge of it; yet in its utmost reaches, there is that which even the sage does not know. Common men and women, however much below the ordinary standard of character, can carry it into practice; yet in its utmost reaches, there is that which even the sage is not able to carry into practice. Great as heaven and earth are, men still find some things in them with which to be dissatisfied. Thus it is, that were the superior man to speak of his way in all its greatness, nothing in the world would be found able to embrace it, and were he to speak of it in its minuteness, nothing in the world would be found able to split it. It is said in the *Book of Poetry*, "The hawk flies up to heaven; the fishes leap in the deep." This expresses how this way is seen above and below. The way of the superior man may be found, in its simple elements, in the intercourse of common men and women; but in its utmost reaches, it shines brightly through heaven and earth.

【注释】［1］费而隐：既广大又精微。费：又作"拂"，广大。隐：精微。 ［2］夫妇：匹夫匹妇，这里指普通男女。［3］与：参与。［4］至：极致。 ［5］破：分开。 ［6］鸢（yuān）：

老鹰。戾：到。［7］察：体察，区分。［8］
造端：发端，开始。

【译文】君子之道既广大又精微。即使愚昧的
普通男女，也能参与并了解一些，至于它最
高深的境界，即便是圣人也有不了解的地方；
普通男女虽然不贤明，也可以实行君子之道，
但它最高深的境界，即便是圣人也有做不到
的地方。天地已经无限大了，可有人还是不
满足。所以，君子所说的"大"，天下都承
载不下；君子所说的"小"，就小得无法分
开。《诗经》说："鹰隼飞翔在天空，鱼儿
跳跃于深渊。"这是说上下分明。君子之道，
发端于普通男女，但它最高深的境界，却在
整个天地之中都可以体察到。

【解读】本章回应了首章"道也者，不可须臾
离也，可离非道也"这一内容。君子之道具
有多元化的特点，上至圣人关于天地之境的

认识与遵循，下至市井男女烟火人生的点点滴滴，中庸之"用"无处不在。它规范着人生，也引领着人生；它是超乎天地的大道，也是生活中的细枝末节；它有着最低的要求，也有着至高的境界。

朱熹断言本章乃"子思之言"。子思认为君子之道即中庸之道是"费而隐"的，朱熹指出君子之道，大到"远而至于圣人天地之所不能尽"，"其大无外"，小到"近自夫妇居室之间"，"其小无内"。这说明中庸之道所蕴含的道理既广大宏阔，又丰富细微；既显豁，明白易行，又隐曲，深奥难懂；既是天地之间的一种大道，又是寻常人生中的林林总总。

子思认为中庸之道是易懂易行的，以夫妇之愚之不肖也"可知"与"可行"，说明了道是具有普遍适用性的。它就在衣食住行中，学习工作中，无处不存中庸之道，万事万物都离不开它。所谓"率性之谓道"就是中庸之道，"率性"的性就是本性，是人人都有、与生俱来的"本性"，遵循本性去待人接物，去应对生活，所以它是一种大众文化、大众之道，连普通男女都可以参与学习并有所收获，而且能指导自己的生活实践和现实人生。

子思还认为中庸之道是精微深奥的，以致圣人亦有所不知不能，这又说明中庸之道的小众性与独特性。

孔颖达疏曰："虽起于匹夫匹妇之所知所行，及其至极之时，明察于上下天地也。"所以中庸说君子之道是从匹夫匹妇之愚开始起步，沿着中庸之道逐步深入。尽管大多数人并非贤达，但是只要我们沿着中庸之道努力前行，就会有收获，就能够从容面对生活，总有一天，突破自我而明察于上下天地。

第十三章

Book 13

子曰："道不远人。人之为道而远人，不可以为道。《诗》云：'伐柯伐柯，其则不远 [1]。' 执柯以伐柯，睨 [2] 而视之，犹以为远。故君子以人治人，改而止。忠恕违道 [3] 不远，施诸己而不愿，亦勿施于人。君子之道四，丘未能一焉：所求乎子，以事父未能也；所求乎臣，以事君未能也；所求乎弟，以事兄未能也；所求乎朋友，先施之未能也。庸 [4] 德之行，庸言之谨，有所不足，不敢不勉，有余不敢尽。言顾行，行顾言，君子胡不慥慥尔 [5]？"

The Master said, "The path is not far from man. When men try to pursue a course, which is far from the common indications of consciousness, this course cannot be considered The Path. In the *Book of Poetry*, it is said, 'In hewing an ax-handle, in hewing an ax-handle, the pattern is not far off.' We grasp one ax-handle to hew the other; and yet, if we look askance from the one to the other, we may consider them as apart. Therefore, the superior man governs men, according to their nature, with what is proper to them, and as soon as they change what is wrong, he stops. When one cultivates to the utmost the principles of his nature, and exercises them on the principle of reciprocity, he is not far from the path. What you do not like when done to yourself, do not do to others. In the way of the superior man there are four things, to not one of which have I as yet attained. — To serve my father, as I would require my son to serve me: to this I have not attained; to serve my prince, as I would require my minister to serve me: to this I have not attained; to serve my elder brother, as I would require my younger brother to serve me: to this I have not attained; to set the example in behaving to a friend, as I would require him to behave to me: to this I have not attained. Earnest in practicing the ordinary virtues, and careful in speaking about them, if, in his practice, he has anything defective, the superior man dares not but exert himself; and if, in his words, he has any excess, he dares not allow himself such license. Thus his words have respect to his actions, and his actions have respect to his words; is it not just an entire sincerity which marks the superior man?"

【注释】［1］伐柯伐柯，其则不远：引自《诗经·豳风·伐柯》。伐柯：砍削木材做斧柄。则：法则，这里指斧柄的式样。［2］睨：斜视。［3］违道：离道。［4］庸：平常。［5］慥慥（zào）尔：忠厚诚实的样子。

【译文】孔子说："道并不排斥人。如果有人实行道却排斥他人，那就不可以实行道了。《诗经》说：'砍削斧柄，砍削斧柄，斧柄的式样就在眼前。'握着斧柄砍削斧柄，应该说不会有什么差异，但如果你斜眼一看，还是会发现差异很大。所以，君子总是根据不同人的情况采取不同的办法治理，只要他能改正错误实行道就行。一个人做到忠恕，离道也就差得不远了。什么叫忠恕呢？放在自己身上不愿意的事，也不要施加给别人。君子之道有四条，我连其中的一条也没能做到：作为儿子，应该对父亲做到的，我没能做到；作为臣民，应该对君王做到的，我没能做到；作为弟弟，应该对哥哥做到的，我没能做到；作为朋友，应该主动先做的，我没能做到。平常的德行努力实践，平常的言谈尽量谨慎。德行的实践有不足的地方，不敢不勉励自己努力；言谈多了，不敢再放肆尽兴。说话符合自己的行为，行为符合自己说过的话，这样的君子怎么会不忠厚诚实呢？"

【解读】孔子以为，道不是难以企及的，是众人都能践行的。只要每个人都认识到道的重要性，并持之以恒地学习，就能成为道的践行者。所以，这就要求我们加强个人道德修养，认识到"道"的重要性。加强道德修养可以完善自我性格。有些人性格过于冲动，做事情不深思熟虑，盲目自信，喜欢展现自己，这样的人处事容易过激，往往适得其反。有些人性格过于软弱，做事情没主见，往往犹豫不决，畏首畏尾，缺乏勇气。因此，孔子内心中理想的"君子"，应该具备高尚的道德情操，性格中庸，刚柔并济；面对问题时有预见性和洞察力；面对不同的人，用不同的态度交流；面对复杂的环境，可以审时度势；面对困境，可以安之若素，泰然处之。他们可以在国家危难之时挺身而出，也可以在国泰民安之时安之若素；他们可以在顺境中勇往直前，也可以在逆境中迂回解困；他们可以把握时机，积极争取；也可以识时务，急流勇退。这就说明孔子所期望的理想人格是通过后天的学习获得的，只有不断完善自己，弥补不足，才能提升自己的人格，铸就不平凡的人生。

那么，如何践行"道"呢？孔子以为，就是要做到"忠恕"。

一是严于律己。多读圣贤书，学习古人身上的优秀品行，保持内心的清净和满足，抛却浮华，面对一切从容淡定，做到"静以修身，俭以养德。非淡泊无以明志，非宁静无以致远"，专心做自己喜欢的事情，不被物欲所羁绊。在社会中规范自己的言行举止，以包容豁达的心态看待人和事。

二是推己及人。朱熹说："尽己之心为忠，推己及人为恕。"忠就是对人尽到自己的责任，恕就是自己不愿做的事也不强加到其他人身上。我们不仅要学会善待他人，与人为善，和平相处，还要互相关心，互相帮助，为建设和谐社会贡献我们的力量。例如：遇到困难或问题，要先从自己身上找原因，不要将问题推给别人，也就是要求我们学会勇于担责；面对不被别人接受的窘况，我们要学会理解，懂得谦让，不争强好胜；面对别人的错误，我们要学会宽以待人，伸出援手，助其摆脱困境。

三是学会感恩。在家尊重孝顺父母，团结兄弟姐妹。孝顺不是简单的生活上的照顾，最重要的是陪伴；兄弟姐妹手足情深，应互相扶持，患难与共。推而广之，在外与朋友相处要诚实守信，为人正直，谨言慎行，严格要求自己，用自己的实际行动来影响周围的人，共同努力促进社会的和谐。

张博 制

第十四章

君子素其位 [1] 而行，不愿乎其外 [2]。素富贵，行乎富贵；素贫贱，行乎贫贱；素夷狄 [3]，行乎夷狄；素患难，行乎患难。君子无入 [4] 而不自得焉。在上位，不陵 [5] 下；在下位，不援 [6] 上。正己而不求于人，则无怨。上不怨天，下不尤 [7] 人。故君子居易 [8] 以俟命 [9]，小人行险以侥幸。子曰："射有似乎君子，失诸正鹄 [10]，反求诸其身。"

The superior man does what is proper to the station in which he is; he does not desire to go beyond this. In a position of wealth and honor, he does what is proper to a position of wealth and honor. In a poor and low position, he does what is proper to a poor and low position. Situated among barbarous tribes, he does what is proper to a situation among barbarous tribes. In a position of sorrow and difficulty, he does what is proper to a position of sorrow and difficulty. The superior man can find himself in no situation in which he is not himself. In a high situation, he does not treat with contempt his inferiors. In a low situation, he does not court the favor of his superiors. He rectifies himself, and seeks for nothing from others, so that he has no dissatisfactions. He does not murmur against Heaven, nor grumble against men. Thus it is that the superior man is quiet and calm, waiting for the appointments of Heaven, while the mean man walks in dangerous paths, looking for lucky occurrences. The Master said, "In archery we have something like the way of the superior man. When the archer misses the center of the target, he turns round and seeks for the cause of his failure in himself."

【注释】［1］素其位：安于现在所处的地位。素：平时，这里用作动词，意思是安于现状。［2］

其外：本分之外，指非分之想。[3]夷狄：
泛指周边地区的部落民族。[4]入：进入，
指处于某种环境。[5]陵：同"凌"，欺凌。
[6]援：攀扯，这里指投靠权贵往上爬。[7]
尤：抱怨。[8]居易：居处平易，即安居现状。
[9]俟（sì）命：等待天命。[10]正鹄（gǔ）：
箭靶。古代射箭时所张的箭靶叫"侯"，"侯"
之中缝一块皮叫"鹄"，"鹄"之中画一个
圆圈叫"正"。射箭时以射中"正鹄"为优。

【译文】君子安于现在所处的地位去做应做的
事，不产生非分之想。处于富贵的地位，就
做富贵人应该做的事；处于贫贱的状况，就
做贫贱人应该做的事；处于边远地区，就做
边远地区应该做的事；处于患难之中，就做
患难之中应该做的事。君子无论处于什么情
况下都是安然自得的。处于上位，不欺凌在
下位的人；处于下位，不攀缘在上位的人。
端正自己而不苟求别人，这样就不会有什么

抱怨了。上不抱怨天，下不抱怨人。所以，
君子安居现状来等待天命，小人铤而走险希
图侥幸。孔子说："君子立身处世就像射箭
一样，偏离了靶心，就要回过头来查找自身
的原因。"

【解读】本章表明"君子"在孔子思想中具有
重要地位。君子，本义是指处于社会上层的
统治阶级，是有权势的人。孔子发展了君子
的含义，指那些道德高尚、作风正派、品格
优良的人。"君子"从有权势到有德行，发
生了意义的转变。孔子之后，君子在儒家典
籍中经常被推崇。做一个君子，是士人修身
追求的目标。

　　本章内容可以分为三层。第一层，不管
君子身处何处，始终如一。第二层，君子坚
守信念。第三层，君子求诸己，度己而后达人。

　　首先，要想成为君子，无论身处何种境
地，都要做到处变不惊，安之若素。不论面

对何种困难，都要保持冷静，坦然处之。无论是居庙堂之高，还是处江湖之远，决不放弃心中所秉承的道义。我们在工作和生活中，既有可能顺流而下，也有可能逆流而上。当我们身处顺境时，切不可得意忘形，也不要过于安逸，要学会在顺境中看风景，坚定人生的方向，展现个人才能，不因碌碌无为而悔恨。当我们身处逆境时，也要不坠青云之志，面对困难应该更加努力，勇于接受，磨炼意志，发愤图强，实现人生的逆袭。其实，顺境和逆境都是人生的经历，像苏轼，他的一生经历三起三落，无论在顺境，还是在逆境，他都怀有赤子之心，坚定立场，造福一方百姓，这就是人们常说的"不忘初心，方得始终"。

其次，要想成为君子，就要保持真实的自我，坚守自己的信念，不为权势、利益所诱惑，不被物欲所羁绊。要做到先义后利，不断追求精神世界的富足。小人往往投机取巧、钻营附会、蝇营狗苟，大搞拉帮结派、结党营私的勾当。无论处在什么样的环境下，君子都要保持端正平和的心态，明辨是非，坚持正义。像苏武那样，不为单于的威势逼迫所屈服，不为卫律的利诱劝降所动摇，他坚定自己的信念，怀着对国家的忠义之心，展现了浓浓的家国情怀。

最后，要想成为君子，就要勇于担当，正视自己的错误，正如孔子所说，射箭没有命中目标，那就改进方法，勤加练习。也就是说君子犯了错误，不要怨天尤人，要反省自己，找出犯错的原因，努力改正。这就告诉我们，人无完人，每个人都会有犯错的时候，犯错不可怕，我们要勇于承认，大胆接受，无论什么样的错误，我们都可以想办法来改正和弥补。另外，面对错误，要真心悔悟，端正态度，不能重复犯错，要虚心地吸取教训。改正错误的过程实际上也是一个人的成长经历，它使我们敢于直面自己的不足，督促我们不断地完善自我。

第十五章

君子之道，辟[1]如行远，必自迩[2]；辟如登高，必自卑[3]。《诗》曰："妻子好合，如鼓瑟琴。兄弟既翕，和乐且耽。宜尔室家，乐尔妻帑[4]。"子曰："父母其顺矣乎！"

The way of the superior man may be compared to what takes place in traveling, when to go to a distance we must first traverse the space that is near, and in ascending a height, when we must begin from the lower ground. It is said in the *Book of Poetry*, "Happy union with wife and children, is like the music of lutes and harps. When there is concord among brethren, the harmony is delightful, and enduring. *Thus* may you regulate your family, and enjoy the pleasure of your wife and children." The Master said, "In such a state of things, parents have entire complacence!"

【注释】 [1] 辟：同"譬"。[2] 迩：近。[3] 卑：低。[4] 引自《诗经·小雅·常棣》。翕（xī）：和顺，融洽。耽：《诗经》原作"湛"，安乐。帑（nú）：通"孥"，子孙。

【译文】 君子之道，就像走远路一样，必定从近处开始；就像登高一样，必定从低处起步。《诗经》说："妻子儿女感情和睦，就像弹琴鼓瑟一样。兄弟关系融洽，和顺又快乐。使你的家庭美满，使你的妻儿幸福。"孔子说："父母顺心如意啊！"

【解读】 孔子在这里将践行君子之道做了比喻，君子的成长就像走路一样，必须脚踏实地，一步一个脚印，坚守本心，保持像松柏那样的节操，去追求道义。行君子之道，必须由近到远，由低到高，先从身边的小事做起。做一个君子，并非难以企及、高不可攀。一个普通人，要想成为君子，其实不难，只要在以下几个方面端正我们的行为和态度，离君子的标准就不远了。

一要脚踏实地。成大事的人不一定是最聪明的人，但一定是认真的人。君子之道是将人的心智情操进行提升的途径。因此，学习君子之道就是人进行道德修养的开始，"迩"和"卑"也就是学习的最初阶段。首先要端正心态，不因外在环境而改变心智。要想成为真正的君子，就要有一颗持之以恒的心，这样才能踏实做学问，追求明德至善。然后要认真专注。践行君子之道犹如攀爬高山，我们要认真专注于自己踏出去的每一步，这是做人应有的心态和素养，更是一种责任，在这一过程中我们学会反省自我，遇事勤思考，能够坚持自我，不放松对自己的要求，对待学习和工作具有高度的责任感。最后要严于律己。学习的道路就像爬山，山顶遥远，在路途中将会遇到各种困难或者诱惑。我们要经受住考验，约束自己的行为，重新审视

君子之道辟如
行遠必自邇
如登高必自卑

語出中庸　張仲亭書

录《中庸》句　张仲亭　书

自己，时刻关注自己的心智言行。

二要点滴积累。"行远"和"登高"就是学习君子之道要经历的过程，人生的道路是靠自己一步一个脚印走出来的，人的学习和修养也是一点一滴积累铸就而成的。因此，想要达到君子的境界，需要自我积累。在对君子之道的追求中，不仅要积累其中的理论学说，还要将其内化为自己的心智情操。另外，要将所学付诸实践，从身边的小事做起，切忌急躁懈怠，戒掉自私自利的狭隘思想，戒掉冷漠麻木的处事方式，开始发现自己的优点，发现自己存在的价值和意义，进而发现身边人和事的美好，爱惜生命，善待家人，亲近朋友，关爱他人。这些都是我们践行君子之道的美好开始。

三要勇往直前，奋力攀登。孔子在这里引用《诗经》里面的话，实际上跟《大学》里面的修身、齐家、治国平天下相一致。践行君子之道，应先使夫妻儿女感情和睦，兄

弟关系融洽，赡养父母竭尽全力。这样才能
推己及人，对他人负责任，也是对自己负责任。
对我们今人而言，维护和谐的家庭关系是工
作和学习的基础。人们交友的时候，对朋友
也会像对待家人一样亲切，与人交往，诚信
有责，方可取信于人，坦荡一生。

第十六章

子曰："鬼神之为德，其盛矣乎！视之而弗见，听之而弗闻，体物而不可遗。使天下之人齐明盛服[1]，以承祭祀。洋洋[2]乎！如在其上，如在其左右。《诗》曰：'神之格思，不可度思，矧可射思[3]！'夫微之显，诚之不可掩[4]如此夫！"

The Master said, "How abundantly do spiritual beings display the powers that belong to them! We look for them, but do not see them; we listen to, but do not hear them; yet they enter into all things, and there is nothing without them. They cause all the people in the kingdom to fast and purify themselves, and array themselves in their richest dresses, in order to attend at their sacrifices. Then, like overflowing water, they seem to be over the heads, and on the right and left of their worshippers. It is said in the *Book of Poetry*, 'The approaches of the spirits, you cannot surmise; and can you treat them with indifference?' Such is the manifestness of what is minute! Such is the impossibility of repressing the outgoings of sincerity!"

【注释】[1] 齐明盛服：斋戒洁净穿着盛装。齐：通"斋"，斋戒。明：洁净。盛服：盛装。[2] 洋洋：浩大的样子。[3] 引自《诗经·大雅·抑》。格：来临。思：语气词。度：揣度。矧 (shěn)：况且。射 (yì)：通"斁"，厌怠不敬。[4] 掩：掩盖。

【译文】孔子说："鬼神的德行，太盛大了！看它，看不见，听它，听不到，但它却体现在万物之中不可缺少。它能让天下的人都斋戒洁净，穿着盛装去祭祀它。无所不在啊！多么浩大啊，好像就在你的上方，好像就在你左右。《诗经》说：'神的降临，不可揣度，怎能怠慢

不敬呢？’从隐微到显现，真实的东西不可
掩盖，就是这样啊！”

【解读】这里以鬼神之道比喻中庸之道。鬼神，
我们既看不见它，又听不见它，可是鬼神无
处不在，天下的人还非常虔诚地去祭祀它。
这说明中庸之道"费而隐"，它的范围广大，
并且隐匿起来不为人所见，要想拥有中庸思
想之全体，需要我们不断地去探索和发现。

孔子认为中庸之道存在于任何地方，体
现在万物之中不可缺少。中庸源于上天，然
后产生"天下之理"，学习和内化中庸之道，
就是达到天人合一的境界，是人们自我修养
所达到的美好境界，这一境界体现在三个方
面：

一是要有真诚的内心，真诚的言行，真
诚对待周围的人和事。我们首先要有内化于
心的道德追求，学习先贤的理论学说，选取
有利于提高道德素养的内容进行探究，理解

其中正确的观点，取其精华，为我所用。还要与时俱进，将前者的知识与我们所处的时代环境相结合，要用发展的眼光理解其中的道理。此外，真诚地对待自己的人生，生命有限，我们要把有限的生命转化成无限的价值存在。我们要认真地对待每一天，认真地让每一天过得有意义，不浪费时光，不虚度年华，大胆勇敢地追求自己的梦想。真诚地对待家人和朋友。

二是要有善良的品行，高尚的道德，这是做人的根本。我们要拥有高尚的道德修养，规范自己的行为。这就要求我们做到自律，慎独，以身作则，言行一致，表里如一，并将其融入我们的内在气质、学识和涵养之中。善待我们周围的人和事，善意的举动将带给别人温暖，善意的问候将拉近彼此之间的距离。生活中学会宽容，不要对别人过于苛责，要换位思考，设身处地先为别人着想，包容一切，用积极和健康的情感影响他人。

三是要将道德修养作为人格的最高追求。中庸思想无处不在，是内在美和外在美的统一。真正的君子拥有儒雅的言谈，渊博的知识，不俗的气质，精神焕发，充满自信。君子不会大喜大悲，不会因为失败而懊恼，不会因为成功而沾沾自喜；君子对事情看得淡，望得远；君子对物资取舍有度，不贪求；君子做事可为而为之，不可为而不强为之；君子追求赠人玫瑰，手有余香的境界；君子追求担当天下道义的责任……这些不仅是对君子人格的要求，也是中庸思想在个人身上的体现。这是个人修养的最高境界，也是我们完善自我的准则。

因此，中庸思想在现代社会，对我们个人的成长具有指导意义，它可以规范我们的言行，可以培养我们的道德情操。借鉴中庸思想的精华，为我所用，提高自身素质，促进社会和谐，对社会的发展具有积极的推动作用。

第十七章

Book 17

子曰："舜其大孝也与？德为圣人，尊为天子，富有四海之内。宗庙 [1] 飨 [2] 之，子孙保之。故大德必得其位，必得其禄，必得其名，必得其寿。故天之生物，必因其材而笃 [3] 焉。故栽者培之，倾者覆之。《诗》曰：'嘉乐君子，宪宪令德。宜民宜人，受禄于天。保佑命之，自天申之 [4]。'故大德者必受命。"

The Master said, "How greatly filial was Shun! His virtue was that of a sage; his dignity was the imperial throne; his riches were all within the four seas. He offered his sacrifices in his ancestral temple, and his descendants preserved the sacrifices to himself. Therefore having such great virtue, it could not but be that he should obtain the throne, that he should obtain those riches, that he should obtain his fame, that he should attain to his long life. Thus it is that Heaven, in the production of things, is sure to be bountiful to them, according to their qualities. Hence the tree that is flourishing, it nourishes, while that which is ready to fall, it overthrows. In the *Book of Poetry*, it is said, 'The admirable, amiable prince displayed conspicuously his excelling virtue, adjusting his people, and adjusting his officers. Therefore, he received from Heaven his emoluments of dignity. It protected him, assisted him, decreed him the throne; sending from Heaven these favors, as it were, repeatedly.' We may say therefore that he who is greatly virtuous will be sure to receive the appointment of Heaven."

【注释】［1］宗庙：古代天子、诸侯祭祀祖先的场所。［2］飨（xiǎng）：祭祀。［3］笃：厚，这里指厚待。［4］引自《诗经·大雅·假乐》。假：通"嘉"，美善。宪宪：《诗经》作"显显"，显明兴盛的样子。令德：美德。

【译文】孔子说："舜该是个最孝顺的人了吧？德行方面是圣人，地位尊贵是天子，财富拥有整个天下。宗庙里祭祀他，子孙保持他的功业。所以，有大德的人必定得到他应有的地位，必定得到他应有的财富，必定得到他应有的名声，必定得到他应有的长寿。所以，上天生养万物，必定根据它们的资质厚待它们。凡是能成材的会得到培育，不能成材的就会遭到淘汰。《诗经》说：'高尚优雅的君子，德行光明美好，安抚百姓民众，享受上天赐予的福禄。上天保佑他，申明他的重大使命。'所以，有大德的人一定承受天命。"

【解读】本章分别引用了孔子的话和《诗经》中的语句来阐述一个道理——"大德者必受命"。这个"大德"就是本章中孔子所说的"孝"和《诗经》中描绘的美好品德。

　　孝是最基本的德行，儒家认为可以以孝治天下。本章首先引用了孔子赞美舜的语言来说"孝"这一美好的品德。

舜，传说中的远古帝王，五帝之一。"舜其大孝也与！"一般人谁能做到这种程度，一般人谁又有如此高尚的品德！舜的大德，便是至孝，这种孝可以融化一切仇恨恩怨，可以温暖世间所有的冰冷。所以孔子说舜"德为圣人"。从德行方面讲，舜是个圣人。

舜的孝行感动了天帝。舜在历山耕种，大象替他耕地，鸟代他锄草。帝尧听说舜非常孝顺，有处理政事的才干，把两个女儿嫁给他；经过多年观察和考验，选定舜做他的继承人。舜登天子位后，去看望父亲，仍然恭恭敬敬，并封象为诸侯。舜成了尊贵的天子，论财富他拥有整个天下，后世在宗庙里祭祀他，子子孙孙都保持他的功业。这一切都是源于他的美好品德，源于他具备的大德，他用大孝原谅了父母，他用大孝化解了仇恨，他用大孝宽容了所有的不公平。一个人胸怀如此宽广，如此大爱，必将可以爱天下苍生。

所以孔子说"故大德必得其位，必得其禄，必得其名，必得其寿"。舜具备如此大德，他得到的地位也好，财富也罢，名声也好，寿数也罢，都是他应该得到的。

孔子说"故天之生物，必因其材而笃焉"。上天生养万物，必定根据它们的资质而厚待它们。舜因为有大德，所以受到了天的厚待，成了帝王，有了地位，有了财富，有了名声，有了寿数。舜得到了上天的眷顾，上天生万物，因材质而下功夫，能够成材的才去培养，不能够成材的也就被淘汰。舜有这样的才能，上天就厚爱他。相反，那些作恶多端之人，无德不孝之人，上天便抛弃他们，他们最终一无所有。

孔子所言的"孝"与《诗经》中所言美好的德行是一脉相承的。《诗经》中说，具有美好德行的人，会为民众做好事，所以也就能够得到老天的保佑。因此，有大德的人必然获得至高无上的权位。

舜也好，"嘉乐君子"也好，作者在这里强调了道德的至上性。拥有美好的品性之人，上天会赐予他尊贵的身份和让人羡慕的财富，这种大德与权力、名位、财富、福禄、长寿看似矛盾却又十分巧妙地融合在一起。拥有这些美好德行的人，上天会厚爱他，会重用他，会给他更多的东西。同样，他拥有了这种美好的德行，也必将承受天命。这种天命是什么，是在人间传播爱，用他的一生来为民众服务，让人间更美好。这就是天道！

第十八章

Book 18

子曰："无忧者其惟文王乎！以王季为父，以武王为子，父作之，子述之。武王缵[1]大王[2]、王季、文王之绪，壹[3]戎衣而有天下，身不失天下之显名，尊为天子，富有四海之内，宗庙飨之，子孙保之。武王末受命，周公成文、武之德，追王大王、王季，上祀先公以天子之礼。斯礼也，达乎诸侯大夫，及士庶人。父为大夫，子为士，葬以大夫，祭以士。父为士，子为大夫，葬以士，祭以大夫。期[4]之丧达[5]乎大夫，三年之丧达乎天子，父母之丧，无贵贱一也。"

The Master said, "It is only King Wen of whom it can be said that he had no cause for grief! His father was King Ji, and his son was King Wu. His father laid the foundations of his dignity, and his son transmitted it. King Wu continued the enterprise of

King Tai, King Ji, and King Wen. He once buckled on his armor, and got possession of the kingdom. He did not lose the distinguished personal reputation which he had throughout the kingdom. His dignity was the royal throne. His riches were the possession of all within the four seas. He offered his sacrifices in his ancestral temple, and his descendants maintained the sacrifices to himself. It was in his old age that King Wu received the appointment to the throne, and the duke of Zhou completed the virtuous course of Wen and Wu. He carried up the title of king to Tai and Ji, and sacrificed to all the former dukes above them with the royal ceremonies. And this rule he extended to the princes of the kingdom, the great officers, the scholars, and the common people. Was the father a great officer and the son a scholar, then the burial was that due to a great officer, and the sacrifice that due to a scholar. If the father were a scholar and the son a great officer, then the burial was that due to a scholar, and the sacrifice that due to a great officer. The one year's mourning was made to extend only to the great officers, but the three years' mourning extended to the Son of Heaven. In the mourning for a father or mother, he allowed no difference between the noble and the mean."

【注释】［1］缵（zuǎn）：继承。［2］大王：古读"太王"，即王季之父。［3］壹：专一。［4］期（jī）：一周年。［5］达：通行。

【译文】孔子说："心中没有忧愁的人，大概只有周文王了！有王季作为父亲，有武王作为儿子，父亲开创事业，儿子继承发扬。武王继承太王、王季、文王的事业，穿起戎装打下了天下，自身不失天下的显赫名声，地位尊贵为天子，财富拥有全天下，宗庙里祭祀着他，子孙保持着他的事业。武王晚年受命为天子，周公成就了文王、武王的明德，追尊太王、王季，用天子的礼仪祭祀祖先。这种礼仪，推行到诸侯大夫，以及士和庶人。父为大夫，子为士，父亲的丧礼用大夫之礼，祭祀用士之礼。父为士，子为大夫，父亲的丧礼用士之礼，祭祀用大夫之礼。一周年的丧礼通行到大夫，三年的丧礼通行到天子，父母的丧礼，不分贵贱都是一致的。"

【解读】本章分了三个层次，又以周文王、周武王、周公旦三个不同的人物来阐述"大德必得其位"的道理，通篇都在讲"德"。

第一个层次，周代先王积德累仁，周文王尤为突出。此为文王之德。

《史记·周本纪》中记载："西伯曰文王，遵后稷、公刘之业，则古公、公季之法，笃仁，敬老，慈少。礼下贤者，日中不暇食以待士，士以此多归之。伯夷、叔齐在孤竹，闻西伯善养老，盍往归之。太颠、闳夭、散宜生、鬻子、辛甲大夫之徒皆往归之。"

《史记·周本纪》中还记载："公季修古公遗道，笃于行义，诸侯顺之。"姬昌不仅继承了父亲的王位，也继承了父亲的德行，他在位期间，能够明德慎罚，勤于政事，重视农业生产，礼贤下士，敬老爱幼。建都丰京（今陕西西安），为武王伐纣灭商奠定基础。其演绎《周易》，受到后世儒家推崇，孔子称之为"三代之英"。

第二个层次，虽然武王用暴力获得了天下，但名望并没有丧失，获得了尊贵的地位和财富，以及子孙长久的祭祀。此为武王之德。

商纣王昏庸无道，残害忠臣，暴虐百姓，天下苍生苦不堪言。周武王继承先父先祖的遗愿，起兵伐纣，救百姓于水深火热之中，建立了周王朝。

第三个层次，周公旦成就了文王、武王的事业，制礼作乐，从天子推及普通百姓。此为周公之德。

周公旦，是文王的第四个儿子，武王的弟

弟。他辅助武王伐纣，建立周朝。武王崩，成
王少，周公摄政，辅佐成王，鞠躬尽瘁。安定
天下后还政于成王。周公完善了尊卑有别的宗
法制、继承制，制礼作乐。没有"礼"就无法
体现君臣尊卑，臣子就会作乱，没有"乐"就
不能教化人民，人民就不能形成高尚的品德。

　　周代先王到文王、武王、周公，他们都
在励精图治，解救天下苍生。本章用三个层
次写出了他们身上那闪闪发光的"德"。先
王有德传给文王，文王之德传于武王、周公。
他们这种美好的品德，是人格魅力之德，是
正义之德，是光明之德。如果他们没有这些
美好的德行，又怎会建立不朽之丰功伟绩，
又怎会让百姓得以安宁呢？

　　礼仪也是德。"斯礼也，达乎诸侯大夫，
及士庶人。父为大夫，子为士，葬以大夫，
祭以士。父为士，子为大夫，葬以士，祭以
大夫。期之丧达乎大夫。三年之丧达乎天子。
父母之丧，无贵贱一也。"说的就是制礼作

乐中的"礼",礼仪、礼貌,尊卑有序,长
幼有序。从丧礼可以看出当时礼仪制度的严
明。无论是高高在上的天子,还是平民百姓,
都在这种严格的礼仪制度下执行。制礼作乐,
就是为了维护社会的秩序与稳定,教化人心,
规范管理,使国家长治久安,百姓安居乐业。

当今社会,仍然需要提倡"德"。有道
德的社会才更加稳定与和谐。道德,是心灵
之美,行为之美,言谈举止之美。美好的道德,
即是善良,是真诚,是友好,是信任,是团
结,是互助,是文明,是礼貌。社会主义核
心价值观的"富强、民主、文明、和谐、自由、
平等、公正、法治、爱国、敬业、诚信、友善",
就是当今社会的道德规范的最高概括。

第十九章

Book 19

子曰："武王、周公，其达孝矣乎！夫孝者，善继人之志，善述人之事者也。春秋修其祖庙，陈其宗器[1]，设其裳衣，荐[2]其时食[3]。宗庙之礼，所以序昭穆[4]也；序爵，所以辨贵贱也；序事，所以辨贤也；旅酬[5]下为上，所以逮[6]贱也；燕毛[7]，所以序齿也。践其位，行其礼，奏其乐，敬其所尊，爱其所亲，事死如事生，事亡如事存，孝之至也。郊社[8]之礼，所以事上帝也；宗庙之礼，所以祀乎其先也。明乎郊社之礼、禘尝[9]之义，治国其如示诸掌乎！"

The Master said, "How far-extending was the filial piety of King Wu and the duke of Zhou! Now filial piety is seen in the skillful carrying out of the wishes of our forefathers, and the skillful carrying forward of their undertakings. In spring and autumn, they repaired and beautified the temple-halls of their fathers, set forth their ancestral vessels, displayed their various robes, and presented the offerings of the several seasons. By means of the ceremonies of the ancestral temple, they distinguished the royal kindred according to their order of descent. By ordering the parties present according to their rank, they distinguished the more noble and the less. By the arrangement of the services, they made a distinction of talents and worth. In the ceremony of general pledging, the inferiors presented the cup to their superiors, and thus something was given the lowest to do. At the concluding feast, places were given according to the hair, and thus was made the distinction of years. They occupied the places of their forefathers, practiced their ceremonies, and performed their music. They reverenced those whom they honored, and loved those whom they regarded with affection. Thus they served the dead as they would have served them alive; they served the departed as they would have served them had they been continued among them — the height of filial piety. By the ceremonies of the sacrifices to Heaven and Earth they served God, and by the ceremonies of the ancestral temple they sacrificed to their ancestors. He who understands the ceremonies of the sacrifices to Heaven and Earth, and the meaning of the several sacrifices to ancestors, would find the government of a kingdom as easy as to look into his palm!"

【注释】［1］宗器：宗庙祭器。［2］荐：指陈设祭品。［3］时食：时令果品及食物。时：季节。［4］昭穆：古代宗法制度，宗庙中神主的排列次序，始祖居中，以下父子（祖、父）递为昭穆，左为昭，右为穆。［5］旅酬：指祭祀快结束时众人从上到下依次递相劝酒，而卑者先饮，故云"下为上"。［6］逮：到达。

[7]燕毛：宴饮时按照年龄排序，长者居上位。燕：通"宴"。毛：毛发。毛发变化情况是年龄的标志。[8]郊社：郊祭和社祭。古代祀天称为郊祭，祀地称为社祭。[9]禘尝：指天子诸侯岁时祭祖的大典。据《周礼》，夏祭曰禘，秋祭曰尝。

【译文】孔子说："武王、周公，他们是最孝的了吧！所谓孝者，是善于继承别人的志向、善于传述别人的事迹的人。每年春季秋季修缮他们的祖庙，陈列宗庙祭器，设置祖先的衣裳，陈设时新的祭品。宗庙的礼仪，用以排列昭穆次序；按爵位排序，用以辨别贵贱；按事功排序，用以分辨贤能的人；众人相互敬酒，下对上敬酒，用以提携晚辈，使下人参与；宴饮让年长者坐上位，用以排列长幼次序。站到那个位置上，行先人的礼节，奏起祭祀的乐曲，敬仰先人所尊敬的人，热爱先人所喜欢的人，事奉死者就像事奉生者一样，事奉亡故的人就像事奉在世的人一样，这是最高的孝了。郊祭和社祭的礼仪，用以事奉上帝，宗庙的祭礼，用以祭祀祖先。明白郊社祭礼以及禘尝祭礼的意义，治理国家就像看清楚自己的手掌一样容易了。"

【解读】本章抓住一个"孝"作为关键字，说武王和周公是最孝的人，举祭祀的礼仪来加以说明，"孝"的深层次含义是什么？它所起的作用又是什么？

何为最孝？怎么才能称得上是最孝呢？这里的孝，不是单纯地给予父母平常的衣食住行的照顾，而是有深层的含义。

孔子说，武王、周公，天下人都认为他们是最孝的人了。为何如此说？

《史记·周本纪》中记载，"西伯积善累德，诸侯皆向之"。因此被商纣王囚禁在了羑里。被释放后，继续行善，诸侯归附。西伯崩，他想要救民于水火的丰功伟业却还没有完成。

姬发立，为武王，继承了父亲西伯的遗愿，
伐纣灭商，建立了新的王朝。

武王与周公继承了父亲周文王的遗志，
并且发扬光大，所以孔子称武王和周公为最
孝顺的人。这里的孝有更深层次的意义，那
就是善于继承先人的遗志，善于继承先人未
完成的事业，这样就被称为是大孝。由此可知，
不仅是对长辈的孝敬，还包括继承先人的遗
志，把先人的事业发展下去。

先人已去，在祭祀时，供奉好先人的牌位，
举行先人留下的祭礼，演奏先人时代的音乐，
敬重先人所尊敬的人，爱护先人所爱的子孙
臣民，侍奉死者如同他在世时一样，侍奉亡
故的礼节如同他活着时一样。

先人逝去，后辈对先人的祭祀缅怀，不
应流于肤浅的形式，而应是发自内心的敬重，
视死如生，视亡犹存。爱其所爱，保留其所爱。
对先人的尊敬不应是停留在生前，之后的发
扬和继承更能体现孝的含义，这就是孝道的

极致了，敬先人如生，爱先人所爱。

本章又列举了祭祀时的礼仪，《左传》中说，"国之大事，在祀与戎"。国家大事，唯有祭祀和战争。祭祀，在古代是十分重要的事情。《诗经》中有关祭礼的描写也很多。《诗经·豳风·七月》中有"四之日其蚤，献羔祭韭"的诗句，以羊羔和韭菜祭神取冰；《诗经·小雅·甫田》中有"以我齐明，与我牺羊"的诗句，是用粟粱和牛羊来祭祀田祖。由此可见祭祀活动在当时是多么普遍和隆重。

本章中讲，宗庙中的祭礼，是用以排列左昭右穆各个辈分的；序列爵位，是用以辨别身份贵贱的；祭后众人轮流举杯劝酒时，晚辈向长辈敬酒，是用以显示先祖的恩惠延伸到地位低贱者的身上的；祭毕宴饮时，依照头发的黑白来排列座次，是用以区分长幼次序的。

祭祀之礼仪，尊卑有序，长幼有序。礼仪对于维护社会稳定起到非常重要的作用。

百姓得到教化，社会更加和谐稳定。武王、
周公建立周朝后，为建立良好稳定的社会秩
序，制礼作乐，使得周朝比以往任何时期都
更稳定和繁荣。礼，是社会的典章制度和道
德规范，是社会政治制度的体现。《论语·季
氏》曰："不学礼，无以立。"

明白了国家祭天祭地的季节和四时举行
禘尝诸祭的意义，也就明白了礼仪的真正作
用。礼仪的作用就在于稳定国家，使整个国
家井然有序，那么"治国其如示诸掌乎"，
治理国家就如同观看手掌上的东西一样清楚
简易了。

礼仪，不仅在古代治理国家中起到了举
足轻重的作用，当今社会，仍需要重视其积
极意义。"礼"是中华民族优秀传统文化中
的瑰宝，我们不仅要好好学习，还要传承下去。
人人有礼，事事在礼，社会才稳定，国家才
会更加繁荣。

第二十章

哀公[1]问政。子曰："文、武之政，布在方策[2]。其人存，则其政举；其人亡，则其政息。人道敏[3]政，地道敏树。夫政也者，蒲卢[4]也，故为政在人，取人以身，修身以道，修道以仁。仁者，人也，亲亲为大；义者，宜也，尊贤为大。亲亲之杀[5]，尊贤之等，礼所生也。在下位不获乎上，民不可得而治矣[6]。故君子不可以不修身；思修身，不可以不事亲；思事亲，不可以不知人；思知人，不可以不知天。"

天下之达道五，所以行之者三。曰：君臣也，父子也，夫妇也，昆弟[7]也，朋友之交也。五者，天下之达道也。知、仁、勇三者，天下之达德也，所以行之者一也。或生而知之，或学而知之，或困而知之，及其知之一也；或安而行之，或利而行之，或勉强而行之，及其成功一也。子曰："好学近乎知[8]，力

行近乎仁，知耻近乎勇。知斯三者，则知所
以修身；知所以修身，则知所以治人；知所
以治人，则知所以治天下国家矣。"

凡为天下国家有九经 [9]。曰：修身也，
尊贤也，亲亲也，敬大臣也，体 [10] 群臣也，
子庶民也，来百工 [11] 也，柔 [12] 远人也，怀
诸侯 [13] 也。修身则道立，尊贤则不惑，亲亲
则诸父昆弟不怨，敬大臣则不眩 [14]，体群臣
则士之报礼重，子庶民则百姓劝 [15]，来百工
则财用足，柔远人则四方归之，怀诸侯则天下
畏之。齐明盛服，非礼不动，所以修身也；去
谗 [16] 远色，贱货 [17] 而贵德，所以劝贤也；
尊其位，重其禄，同其好恶，所以劝亲亲也；
官盛任使，所以劝大臣也；忠信重禄，所以劝
士也；时使 [18] 薄敛，所以劝百姓也；日省 [19]
月试 [20]，既禀称事 [21]，所以劝百工也；送
往迎来，嘉善而矜 [22] 不能，所以柔远人也；
继绝世 [23]，举废国 [24]，治乱持危，朝聘以时，
厚往而薄来，所以怀诸侯也。凡为天下国家

有九经，所以行之者一也。

凡事豫[25]则立，不豫则废。言前定则不跲[26]，事前定则不困，行前定则不疚，道前定则不穷。

在下位不获乎上，民不可得而治矣。获乎上有道：不信乎朋友，不获乎上矣。信乎朋友有道：不顺乎亲，不信乎朋友矣。顺乎亲有道：反诸身不诚，不顺乎亲矣。诚身有道：不明乎善，不诚乎身矣。

诚者，天之道也；诚之者，人之道也。诚者，不勉而中，不思而得，从容[27]中道，圣人也。诚之者，择善而固执之者也。博学之，审问之，慎思之，明辨之，笃行之。有弗学，学之弗能弗措[28]也；有弗问，问之弗知弗措也；有弗思，思之弗得弗措也；有弗辨，辨之弗明弗措也；有弗行，行之弗笃弗措也。人一能之，己百之；人十能之，己千之。果能此道矣，虽愚必明，虽柔必强。

The duke Ai asked about government. The Master said, "The government of Wen and Wu is displayed in the records, — the tablets of wood and bamboo. Let there be the men and the government will flourish; but without the men, their government decays and ceases. With the right men the growth of government is rapid, just as vegetation is rapid in the earth; and, moreover, their government might be called an easily-growing rush. Therefore the administration of government lies in getting proper men. Such men are to be got by means of the ruler's own character. That character is to be cultivated by his treading in the ways of duty. And the treading those ways of duty is to be cultivated by the cherishing of benevolence. Benevolence is the characteristic element of humanity, and the great exercise of it is in loving relatives. Righteousness is the accordance of actions with what is right, and the great exercise of it is in honoring the worthy. The decreasing measures of the love due to relatives, and the steps in the honor due to the worthy, are produced by the principle of propriety. When those in inferior situations do not possess the confidence of their superiors, they cannot retain the government of the people. Hence the sovereign may not neglect the cultivation of his own character. Wishing to cultivate his character, he may not neglect to serve his parents. In order to serve his parents, he may not neglect to acquire knowledge of men. In order to know men, he may not dispense with knowledge of Heaven.

The duties of universal obligation are five and the virtues wherewith they are practiced are three. The duties are those between sovereign and minister, between father and son, between husband and wife, between elder brother and younger, and those belonging to the intercourse of friends. Those five are the duties of universal obligation. Knowledge, magnanimity, and energy, these three, are the virtues universally binding. And the means by which they carry the duties into practice is singleness. Some are born with the knowledge of those duties; some know them by study; and some acquire the knowledge after a painful feeling of their ignorance. But the knowledge being possessed, it comes to the same thing. Some practice them with a natural ease; some from a desire for their advantages; and some by strenuous effort. But the achievement being made, it comes to the same thing." The Master said, "To be fond of learning is to be near to knowledge. To practice with vigor is to be near to magnanimity. To possess the feeling of shame is to be near to energy. He who knows these three things, knows how to cultivate his own character. Knowing how to cultivate his own character, he knows how to govern other men. Knowing how to govern other men, he knows how to govern the kingdom with all its states and families. "

All who have the government of the kingdom with its states and families have nine standard rules to follow: — viz. the cultivation of their own characters; the honoring of men of virtue and talents; affection towards their relatives; respect towards the great ministers; kind and considerate treatment of the whole body of officers; dealing with the mass of the people as children; encouraging the resort of all classes of artisans; indulgent treatment of men from a distance; and the kindly cherishing of the princes of the States. By the ruler's cultivation of his own character, the duties of universal obligation are set forth. By honoring men of virtue and talents, he is preserved from errors of judgment. By showing affection to his relatives, there is no grumbling nor resentment among his uncles and brethren. By respecting the great ministers, he is kept from errors in the practice of government. By kind and considerate treatment of the whole body of officers, they are led to make the most grateful return for his courtesies. By dealing with the mass of the people as his children, they are led to exhort one another to what is good. By encouraging the resort of all classes of artisans, his resources for expenditure are rendered ample. By indulgent treatment of men from a distance, they are brought to resort to him from all quarters. And by kindly cherishing the princes of the states, the whole kingdom is brought to revere him. Self-adjustment and purification, with careful regulation of his dress, and the not making a movement contrary to the rules of propriety: — this is the way for a ruler to cultivate his person. Discarding slanderers, and keeping himself from the seductions of beauty; making light of riches, and giving honor to virtue: —this is the way for him to encourage men of worth and talents. Giving them places of honor and large emolument. and sharing with them in their likes and dislikes: — this is the way for him to encourage his relatives to love him. Giving them numerous officers to discharge their orders and commissions: — this is the way for him to encourage the great ministers. According to them a generous confidence, and making their emoluments large: — this is the way to encourage the body of officers. Employing them only at the proper times, and making the imposts light: — this is the way to encourage the people. By daily examinations and monthly trials, and by making their rations in accordance with their labors: — this is the way to encourage the classes of artisans. To escort them on their departure and meet them on their coming; to commend the good among them, and show compassion to the incompetent: — this is the way to treat indulgently men from a distance. To restore families whose line of succession has been broken, and to revive states that have been extinguished;

to reduce to order states that are in confusion, and support those which are in peril; to have fixed times for their own reception at court, and the reception of their envoys; to send them away after liberal treatment, and welcome their coming with small contributions: — this is the way to cherish the princes of the states. All who have the government of the kingdom with its states and families have the above nine standard rules. And the means by which they are carried into practice is singleness."

"In all things success depends on previous preparation, and without such previous preparation there is sure to be failure. If what is to be spoken be previously determined, there will be no stumbling. If affairs be previously determined, there will be no difficulty with them. If one's actions have been previously determined, there will be no sorrow in connection with them. If principles of conduct have been previously determined, the practice of them will be inexhaustible.

When those in inferior situations do not obtain the confidence of the sovereign, they cannot succeed in governing the people. There is a way to obtain the confidence of the sovereign; — if one is not trusted by his friends, he will not get the confidence of his sovereign. There is a way to being trusted by one's friends; — if one is not obedient to his parents, he will not be true to friends. There is a way to being obedient to one's parents; — if one, on turning his thoughts in upon himself, finds a want of sincerity, he will not be obedient to his parents. There is a way to the attainment of sincerity in one's self; — if a man do not understand what is good, he will not attain sincerity in himself.

Sincerity is the way of Heaven. The attainment of sincerity is the way of men. He who possesses sincerity, is he who, without an effort, hits what is right, and apprehends, without the exercise of thought; — he is the sage who naturally and easily embodies the right way. He who attains to sincerity is he who chooses what is good, and firmly holds it fast. To this attainment there are requisite the extensive study of what is good, accurate inquiry about it, careful reflection on it, the clear discrimination of it, and the earnest practice of it. The superior man, while there is anything he has not studied, or while in what he has studied there is anything he cannot understand, will not intermit his labor. While there is anything he has not inquired about, or anything in what he has inquired about which he does not know, he will not intermit his labor. While there is anything which he has not reflected on, or anything in what he has reflected on which he does not apprehend, he will not intermit his labor. While there is anything which he has not discriminated or his discrimination is not clear, he will not intermit his labor. If there be anything which he has not practiced, or his practice fails in earnestness, he will not intermit his labor. If another man succeeds by one effort, he will use a hundred efforts. If another man succeeds by ten efforts, he will use a thousand. Let a man proceed in this way, and, though dull, he will surely become intelligent; though weak, he will surely become strong."

【注释】[1]哀公：鲁哀公，春秋末期鲁国国君，姓姬，名蒋，谥号"哀"。[2]方策：简策。方：古代书写用的木板。策：古代书写用的竹简。[3]敏：勉力，致力。[4]蒲卢：蒲草和芦苇。[5]杀：减少。[6]在下位不获乎上，民不可得而治矣：这两句译文见于下文。[7]昆弟：兄弟。[8]知：同"智"。[9]九经：九条准则。经：准则。[10]体：体恤。[11]百工：各种工匠。[12]柔：怀柔，安抚。[13]怀诸侯：使诸侯感恩。[14]眩：疑惑不定，慌乱不知所措。[15]劝：勉励，鼓励。[16]

谗：说别人的坏话，这里指说坏话的人。［17］
贱货：不重财物。贱：认为轻贱。货：财物。
［18］时使：按照季节时令使用民力，不误
农时。［19］省：视察，检查。［20］试：考核。
［21］既禀称事：发放粮食与工作成效相称。
既：通"饩"，指馈赠。禀：指粮米谷物。称：
符合。［22］矜：怜悯，同情。［23］继绝世：
延续已经中断的家族世系。［24］举废国：
恢复已经废置的封国。［25］豫：同"预"，
事先有准备。［26］跲（jiá）：言语不通畅。
［27］从容：自然而然。［28］措：停止，放弃。

【译文】鲁哀公询问政事。孔子说："周文王、
周武王的治国策略，都记载在典籍上了。奉
行这些策略的人在位，政事就能够通行；他
们不在位了，政事也就停息了。人之道在于
勤勉政事，地之道在于生长树木。政事就像
蒲草芦苇一样可迅速有所树立，所以完全取
决于用什么人。用人在于自身需要，修养自

身在于遵循大道，遵循大道要从仁义做起。仁就是爱人，关爱自己的亲族就是最大的仁。义就是事情做得适宜，尊重贤人就是最大的义。至于关爱自己的亲族要区分亲疏，尊重贤人要有等级差别，这都是礼的要求。所以，君子不能不修养自身。要修养自身，不能不侍奉亲族；要侍奉亲族，不能不了解他人；要了解他人，不能不懂得天理。

天下人通行的人伦关系有五种，用以通行的德行有三种。君臣、父子、夫妇、兄弟、朋友之间的关系，这五种关系是天下人共有的伦常关系。智、仁、勇，这三种德行是天下通行的德行。实现这三种德行则是一样的。有的人生来就知道它，有的人学习以后才知道它，有的人感到了困惑以后才知道它。只要他们最终都知道了，也就一样了。有的人自愿去实行它，有的人为了利益去实行它，有的人勉强去实行它。只要最终都实行了，也就一样了。孔子说："热爱学习就接近智了，努力实行就接近仁了，知道羞耻就接近勇了。知道这三点，就知道怎样修身了。知道怎样修身，就知道怎样治理众人。知道怎样治理众人，就知道怎样治理天下国家了。"

治理天下国家有九条准则。就是：修养自身，尊崇贤人，关爱亲族，敬重大臣，体恤群臣，爱民如子，招徕工匠，怀柔远方，安抚诸侯。修养自身就能确立正道，尊崇贤人就不会困惑，关爱亲族，同宗兄弟就不会结怨；敬重大臣就不会遇事慌乱无措；体恤群臣，贤士们就会倾心效命；爱民如子，百姓们就会尽心尽力；招徕工匠，国家就会财用充足；怀柔远方，四方之人就会归顺；安抚诸侯，天下之人都会敬畏。斋戒净心盛装，不符合礼仪的事不做，是为了修身；摒弃小人疏远女色，轻财重德，是为了尊崇贤人；给亲族提高地位，给他们优厚的待遇，与他们爱憎一致，是为了关爱亲族；多派官员任其使用，是为了敬重大臣；真诚信任，给以高薪，是为了鼓励士人；按照季节时令使用民力，不误农时，减轻赋税，是为了爱护百姓；经常检查考核，按劳付酬，是为了鼓励工匠；来时欢迎，去时欢送，嘉奖善行，扶危济困，是为了怀柔远人；延续已经中断的家族世系，恢复已经废置的封国，治理祸乱，扶持危难，按时朝见聘问，赠送丰厚，受贡微薄，是为了安抚诸侯。总之，治理天下国家有九条准则，实行这些原则的道理都是一样的。

所有事情，有准备就会成功，没有准备就会失败。说话之前先有准备，就不会中途卡壳；做事先有准备，就不会陷入困境；行为先有准备，就不会后悔自责；道路预先选定，就不会陷入穷途。

下位的人如果得不到上位的人信任，民众就不能被治理好。取得上位的人信任是有方法途径的：得不到朋友的信任，就得不到上位的人的信任。得到朋友的信任是有方法途径的：不孝顺父母，就得不到朋友的信任。孝顺父母

是有方法途径的：自己不真诚就不能做到孝顺
父母。使自己真诚是有方法途径的：不明白什
么是善，就不能够做到使自己真诚。

真诚是上天运行之道，追求真诚是做人
之道。天生真诚的人，不用勉强就能做到，
不用思考就能拥有，自然而然地符合天道，
这样的人就是圣人。努力追求真诚，就要选
择美好的东西执着地追求：广泛学习，详细
询问，周密思考，明确辨析，确切实行。要
么不学，学了没有学会绝不放弃；要么不问，
问了不懂绝不放弃；要么不想，想了没有想
通绝不放弃；要么不辨析，辨析了没有明确
绝不放弃；要么不实行，实行了没有成效绝
不放弃。别人用一分努力就能做到的，我用
百倍的努力去做；别人用十分努力能做到的，
我用千倍的努力去做。如果真能够这样做，
即使先前愚笨，也一定可以变得聪明；即使
先前柔弱，也一定可以变得刚强。

【解读】"九经"是儒家的治国方略，也是儒家的社会政治理想。据《宋史》记载，景德四年（1007），宋真宗赵恒在崇和殿宴请近臣，翰林侍讲学士、工部尚书邢昺向皇帝讲解了"九经"。邢昺讲解了《中庸》中的"九经"大义，宋真宗听后大为赞同，并奖赏了邢昺。这足以说明《中庸》里的"九经"在后世统治者那里的受重视程度。

修身是九经之首，自天子以至于庶人，皆以修身为本。修身主要是在两个方面：博学于文，约之以礼，即加强学习，增长知识，同时严格要求自己，提高道德水平。这就首先需要戒除浮躁，静下心来。中国传统文化历来强调静心之道。儒家主张"三省吾身"，道家主张"致虚极，守静笃"，要人们沉淀内心。佛家主张"戒定慧"，抛弃世上一切功利，达到一种无欲无求的境界。诸葛亮在《诫子书》中说："夫君子之行，静以修身，俭以养德，非淡泊无以明志，非宁静无以致远。"社会繁杂喧扰，唯有静心修身才能反思自我。

治国需要尊贤，就是要"亲贤臣，远小人"。尊贤就是尊敬那些有德行、有能力的人，尊贤，则不惑。历史上的周文王尊姜太公、齐桓公重用管仲、唐太宗用魏徵等，都是君主礼贤下士的例子，正是选用贤才治国，这些君主才成为一代明君。不止治国需要尊贤，管理一个公司、团队也需要尊贤，尊贤才能给团队带来理性的声音和正确的方向。

治国需要亲亲。天下国家本同一理，由家治到国治，所以治国要"亲亲"。对于古人来说，亲亲不仅是一般血缘群体的基本准则，而且成为遍及天下的普遍法则。因为自古以来，中国人形成的血缘群体，无论是氏族或宗族，还是大小不等的家庭，皆崇尚亲亲之道，推而至于国家、天下，乃至天地万物，无不是亲亲的体现。古人认为，一个人对父母、兄弟、妻子要讲亲亲，此为孝悌慈爱；推至君臣、朋友、长幼之间，也要讲亲亲，

《中庸》插图

治国还需要尊重大臣，关怀群臣，只有君事臣以礼、臣以忠，上下才会同心。唐太宗将相和如海，病重，太宗亲自到他家慰问。凡遇四年宰相杜如海病重，太宗亲自到他家慰问。武次唐子之春永生画之

敬重大臣，事君以忠　徐永生　绘

此为恭友仁忠；至于天地之间，则为民胞物与，即民为同胞，物为同类，一切为上天所赐，亦即爱人和一切物类。亲亲构成了中国文化的基本精神。

治国还需要敬重大臣，关怀百官。只有君事臣以礼，臣才会事君以忠。唐太宗将他的臣子们视为朋友，对群臣推心待之。贞观四年（630），宰相杜如晦病重，唐太宗亲自到他家慰问。杜如晦病逝以后，有一天太宗在宫中吃到一个非常美味的瓜，他想起杜如晦也喜欢吃这种瓜，心中不禁凄凉伤感，就停下不吃，叫人把瓜拿去祭奠杜如晦。这充分表露出唐太宗身为君主，对臣子的那份真情。

"子庶民"要求君王爱民如子。唐太宗李世民就将水能载舟，亦能覆舟作为自己的座右铭，以时时警示自己。汉文帝刘恒规定，自己的陵墓要全部使用瓦器制造，不准用金银铜锡等贵重的金属作为装饰，要尽量节省，不要烦扰了百姓的生活与生产。他在位的时候，时时刻刻都为黎民百姓着想，致力于用恩德感化臣民，少用刑罚。在他的治理下，生产恢复，经济发展，百姓安居。

"来百工"，是说治国需要招徕各种工匠。也就是说，要广泛吸引专业技术人才，充分发挥他们的技能，创造社会财富。这对于发展经济是非常重要的。中国古代历史上，曾经涌现出许多能工巧匠和科学家。例如，鲁班、墨翟、扁鹊、李冰、张衡、蔡伦、张仲景、刘徽、贾思勰、孙思邈、郭守敬、祖冲之、毕昇、宋应星、李时珍等，他们在手工业技术、工程制造、天文、数学、医学、印刷术、农业技术等各领域做出了突出贡献，大大推进了科技进步和社会发展。中国自改革开放以来，解放思想，尊重知识，尊重人才，形成社会共识，生产力迅速提高，经济飞速发展，国力快速增强。当前，国家重视科技创新，发展职业技术教育，培养应用型专业技术人才，提倡"工匠精神",重视引进海内外高新技术人才,这些措施必将对中国走向富强之路产生积极的推动作用。

治国还需要怀柔边远民众和各国诸侯。行远必自迩,中国哲学强调由内而外,由近及远。对于远处的人,要宽厚对待,要心胸宽广,包容万物,这样才能以德服人。国家也是如此,要有海纳百川的气势,要包容不同的民族文化,和平共处。如果恃强凌弱,处处树敌,就会成为众矢之的,形象必然受损,最终将在国际社会无立足之地。

第二十一章

Book 21

自^[1]诚明，谓之性；自明诚，谓之教。诚则明矣，明则诚矣。

When we have intelligence resulting from sincerity, this condition is to be ascribed to nature; when we have sincerity resulting from intelligence, this condition is to be ascribed to instruction. But given the sincerity, and there shall be the intelligence; given the intelligence, and there shall be the sincerity.

【注释】［1］自：介词，从。

【译文】从真诚而自然明道，叫作天性；从明道做到真诚，叫作教育。真诚就会自然明道，明道也就会做到真诚。

【解读】《中庸》认为，"诚者，天之道也"，即"诚"是天道的本然属性。万物及其始终都具有"诚"的质性，但是"诚"要通过两种方式来实现。第一种是自觉的方式，"自诚明，谓之性"，自己自觉能认识到个人的本性，这是由内而外，只有圣人才会有的方式。第二种是不自觉的方式，"自明诚，谓之教"，通过学习、教化达到至诚的境界，这是由外而内的大多数普通人的方式。

一代心学大师王阳明堪称注重教化的典型。他在江西为官时，专门写有《兴举社学牌》，要求家长教育好子弟，"务在隆师重道，教训弟子，毋得因仍旧染，习为偷薄，自取愆咎"。对于民风民俗，王阳明也非常注意予以整饬，以期人们"朝夕聚会，考德问业"。在《十家牌法告谕各府父老子弟》一文中指出：我奉命在此任职，宗旨是"惟欲剪除盗贼，安养小民"。因此他希望"各家务要父慈子孝，兄爱弟敬，夫和妇随，长惠幼顺，小心以奉官法，勤谨以办国课，恭俭以守家业，谦和以处乡里"。

南朝的刘义庆记述了周处改过自新的故事。周处先"为乡里所患"，杀虎击蛟才知道自己"为人情所患"，于是"有自改意"，这就是自省的过程，并且在贤达的教诲下终于成了忠臣孝子。这就是"自明诚，谓之教"的自新过程。

第二十二章

唯天下至诚为能尽其性。能尽其性，则能尽人之性；能尽人之性，则能尽物之性；能尽物之性，则可以赞[1] 天地之化育[2]；可以赞天地之化育，则可以与天地参[3] 矣。

It is only he who is possessed of the most complete sincerity that can exist under heaven, who can give its full development to his nature. Able to give its full development to his own nature, he can do the same to the nature of other men. Able to give its full development to the nature of other men, he can give their full development to the natures of animals and things. Able to give their full development to the natures of creatures and things, he can assist the transforming and nourishing powers of Heaven and Earth. Able to assist the transforming and nourishing powers of Heaven and Earth, he may with Heaven and Earth form a ternion.

【注释】［1］赞：帮助。［2］化育：化生和养育。
［3］与天地参：与天地并列为三。参：同"三"，
古代动词义多用"参"，数词义多用"三"。

【译文】只有天下最真诚的人能充分发挥他自己
的本性。能充分发挥他自己的本性，就能充
分发挥别人的本性；能充分发挥别人的本性，
就能充分发挥万物的本性；能充分发挥万物
的本性，就可以帮助天地化育生命；能帮助
天地化育生命，就可以与天地并列为三了。

【解读】"诚"是一个形声字，义符是"言"，
声符是"成"，意思是语言诚信真实，说话
算数。《说文解字》："诚，信也。"从伦
理学角度来看，诚是为人处世的一种态度，
属于道德范畴，强调待人忠厚，讲究信用。
至诚，指的是心性修养达到的最高境界，表

里如一，不欺骗他人，也不欺骗自己。

"诚"需要一颗赤子之心。"赤子之心"出自《孟子·离娄下》："大人者，不失其赤子之心者也。"老子指出，看那众人熙熙攘攘，好像赶赴丰盛的筵席，又像春天去登台眺望。只有我淡泊而无动于衷，就像那不知笑的婴儿一样。老子宣扬返璞归真，淡泊宁静，与孟子的"赤子之心"异曲同工。赤子之心，就是一颗率直、纯真、善良、热爱生命、好奇而富想象力、生命力旺盛的"心"，这种单纯的心，本身就是一种美德。唐代大诗人杜甫屡经兵乱，历尽艰难困苦，仍旧念念不忘天下苍生，关心百姓疾苦，后世评价杜甫平生忠义，气节高尚，称之为"诗圣"。他的诗被称为"诗史"，忧国忧民，充满浓烈的家国情怀。

"诚"还需要不欺人，不自欺。不欺人，不自欺需要人们敬畏规则。季羡林在德国留学期间经历过这样一件事：二战后期，柏林被苏联包围，德国百姓食物短缺，御寒的燃料极度匮乏，为了生火取暖，一些居民开始进山砍伐树木，当时的德国政府名存实亡，权力处于真空状态。战争结束了，人们惊讶地发现，全德国没有发生一起居民乱砍滥伐事件，他们全部忠实地执行了规定：只砍枯藤朽木。季老由衷地感叹，循规蹈矩，一丝不苟是德国人遵守的一条规则，任何时候都不会破坏规则，敬畏规则已经深入到他们的骨子里。在当今社会，有的人却"不走寻常路"，习惯于践踏规则，不以为耻，反以为荣。事实上，违规者也许偶尔能达到目的，获得利益。但侥幸一时，不可能侥幸一世，守规则才是这个世界上最踏实的路。

张博 制

第二十三章

其次致曲^[1]，曲能有诚。诚则形^[2]，形则著^[3]，著则明，明则动，动则变，变则化^[4]。唯天下至诚为能化。

Next to the above is he who cultivates to the utmost the shoots of goodness in him. From those he can attain to the possession of sincerity. This sincerity becomes apparent. From being apparent, it becomes manifest. From being manifest, it becomes brilliant. Brilliant, it affects others. Affecting others, they are changed by it. Changed by it, they are transformed. It is only he who is possessed of the most complete sincerity that can exist under heaven, who can transform.

【注释】［1］致曲：做好某一个方面。［2］形：显露。［3］著：显著。［4］化：化育。

【译文】次一等的贤人能够发挥天性的某一部分，发挥天性的某一部分也能做到真诚。做到了真诚就会显露在外，显露在外就会日益显著，日益显著就会发扬光大，发扬光大就会感动他人，感动他人就会向好的方向改变，向好的方向改变就能化育万物。只有天下最真诚的人能化育万物。

【解读】本章承上章进一步展开论述，上一章讲的是天生至诚的圣人，他们能自觉修炼，充分发挥天性而拥有人生最高的美德。这一章说的是比圣人次一等的贤人，可以通过"致曲"的修养之道，达到"诚"的境界。

　　"自诚明"的是圣人，天生就真诚，但是圣人毕竟是凤毛麟角，不是每一个人都能成为圣人。而贤人是"自明诚"，即通过后天教育，学习明理达到真诚的人。贤人与圣人不同，贤人只是致力于某一方面，而不是面面俱到，"曲能有诚"的意思是在德行的一个方面做到了真诚，这样的人就是"自明诚"的贤人。成为贤人，是我们每一个普通人都能达成的目标。

要达成这一目标，必须通过后天的教育和修养，历经"形、著、明、动、变、化"的阶段，量变形成质变，厚积薄发，一步一步接近圣人的境界。而当一个人能有如此至诚的美德时，就会呈现出人性美的光辉，这种光辉可以照耀万物，泽被世界，可以启示他人、影响社会，使天下都能认识到榜样的力量，从而实现化育之功。

北宋程颢说人能够知性而知天，首先在于人自身具备天地的共同本性。人不但包含全部天地之性，而且是天地万物之中的最灵者。人能够参与天地创造万物的过程，按照人类自身的理想改造客观世界、建构理想社会。《中庸》本章特别强调了人性修养的可能性和必要性，认为人只要努力修炼，尽心实践，也能达到人生的最高境界。

　　人是宇宙的精华，万物的灵长。每个人都有成为贤人乃至圣人的可能。然而人的天赋不一：有的天赋异禀，凡事一点就透；有的愚钝不堪，累死先生。不过，这并不代表笨拙愚钝的人就不能成功。梁启超曾指出，曾国藩本来就不是个超群绝伦的天才，跟他同时代的那些历史名人、豪杰相比，曾国藩是最愚笨的人。在民间甚至流传着少年曾国藩背书竟背不过贼的故事。但这并不妨碍曾国藩以自己的致曲精神成为成功者。苏洵到了二十七岁，才发奋苦读，最终成为精通"五经"和诸子百家学说的大学问家。法国作家福楼拜三岁多还不会说话，被人当成低能儿，这也不妨碍他凭借刻苦不懈的努力成为世界知名的大作家。这就是天生至诚与后天努力的关系。只要本着一颗至诚之心，坚持不懈，就能水滴石穿，金石为开。相反，有不少所谓的聪明人，仗着小聪明，在生活工作中弄虚作假、偷奸耍滑，结果不学无术，一事无成。

我们大多数人都是普通人，不能像圣人那样明心见性，洞察万物。但我们只要诚心修道，以真诚之心对待人生和社会，就能赢得个体生命的不平凡，最终成为一个对社会有用的"贤人"。

第二十四章

至诚之道，可以前知[1]。国家将兴，必有祯祥[2]；国家将亡，必有妖孽[3]。见[4]乎蓍龟[5]，动乎四体[6]。祸福将至，善，必先知之；不善，必先知之。故至诚如神。

It is characteristic of the most entire sincerity to be able to foreknow. When a nation or family is about to flourish, there are sure to be happy omens; and when it is about to perish, there are sure to be unlucky omens. Such events are seen in the milfoil and tortoise, and affect the movements of the four limbs. When calamity or happiness is about to come, the good shall certainly be foreknown by him, and the evil also. Therefore the individual possessed of the most complete sincerity is like a spirit.

【注释】［1］前知：提前知道。［2］祯祥：吉祥的预兆。[3]妖孽：事物反常的现象。草木之类称妖，虫豸之类称孽。[4]见（xiàn）：同"现"，呈现。[5]蓍（shī）龟：蓍草和龟甲，古人用于占卜。[6]四体：四肢，指动作行为。

【译文】至诚之道，可以预知未来。国家将要兴盛，一定会出现吉祥的征兆；国家将要灭亡，一定会出现反常的现象。呈现在占卜的蓍草龟甲上，表现在身体各种行为上。祸福将要来临时，好事情，一定可以预先知道；坏事情，也一定可以预先知道。所以至诚就像神明一样。

【解读】本章进一步谈圣人至诚先天感应的预知功能。至诚可以见微知著，预测祸福治乱，如同神灵一般准确无误。为什么至诚能有如此大的功用呢？这是因为达到最高境界的至诚的圣人没有私心杂念，他能够超越自我的局限，不被个人感情所蒙蔽，不为个人好恶所左右，洞察如镜，对世事都有明确的判断，因而对兴亡祸福了如指掌，有如神助。

天地万物不是孤立的，而是相互联系、相互依存、相互影响的。任何事情的发生发展都有其因果和先兆，事物运行变化都有其自然规律，把握了根本规律，就能够根据一些现象预知未来。俗话说"心诚则灵"，一个获得了至诚之道的人，能够洞悉事物的变化发展，在事情没有发生时，就依稀知晓它的端倪，从而料事如神。

普通人在为人处世时容易被情感左右，容易掺杂个人好恶之情和私利之心，这样就无法以客观公正的立场待人处事，不要说预知未来，就连当下之事也如雾里看花，不明就里。因此，普通人要向至诚的圣人学习，以防多走弯路。

我国历史发展的进程中，就有许多具有预见能力的至诚先贤，他们穿越历史的尘埃和当下的遮蔽，拨开层层迷雾，以非凡的洞察力，预见了社会和国家的兴衰存亡，给我们民族留下了宝贵的精神财富。

齐桓公、管仲"病榻论相"一事，在《史记》《韩非子》《吕氏春秋》等书中均有记载：管仲在病榻之上劝说齐桓公远离易牙、竖刁、堂巫、公子开方，是因为他从四人的为人处世上看出他们隐忍伪善、取巧迎合的性格特点，但是晚年的齐桓公并没有意识到这一点，最终因任用佞才而未得善终，他苦心孤诣经营的巍巍霸业也随之衰落下去。齐桓公在临死之际，发出这样的哀叹："唉，仲父真是圣人啊，我不听他的话，才落得今天凄惨的下场。我死之后，哪里还有脸见仲父啊！"曹操曾在《善哉行》中如此总结齐桓公的一生：齐桓之霸，赖得仲父。后任竖刁，虫流出户。一个名满天下的英雄竟然被活活饿死，死后多日无人安葬，以致发臭生蛆。齐桓公只看到了表象，却不能探寻本质。而管仲从

君臣共议至诚之道　韩新维　绘

人性出发去看问题，因此能够看到本质，预见未来。

北宋章惇曾经和苏轼一同游南山，到了仙游潭，潭边紧临悬崖峭壁。章惇邀请苏轼下潭在石壁上写字留念，苏轼不敢，章惇踩着险石下去，用毛笔蘸着墨在石壁上写了"苏轼章惇来"几个大字。苏轼拊章惇之背说："君他日必能杀人。"后来章惇为相后，果然心狠手辣。苏东坡从章惇不顾性命冒险写字的事情中看出其人性的特点，预见了其未来的发展。

第二十五章

诚者自成[1]也，而道自道[2]也。诚者物之终始，不诚无物。是故君子诚之为贵。诚者非自成己而已也，所以成物也。成己仁也，成物知[3]也，性之德也，合外内之道也。故时措[4]之宜也。

Sincerity is that whereby self-completion is effected, and its way is that by which man must direct himself. Sincerity is the end and beginning of things; without sincerity there would be nothing. On this account, the superior man regards the attainment of sincerity as the most excellent thing. The possessor of sincerity does not merely accomplish the self-completion of himself. With this quality he completes other men and things also. The completing himself shows his perfect virtue. The completing other men and things shows his knowledge. Both these are virtues belonging to the nature, and this is the way by which a union is effected of the external and internal. Therefore, whenever he — the entirely sincere man — employs them, — that is, these virtues, their action will be right.

【注释】［1］自成：自我完善。［2］自道（dǎo）：自我引导。道：同"导"。［3］知：同"智"。［4］措：实施。

【译文】真诚是自我完善，道是自我引导。真诚是事物的终结和开始，不真诚就没有万物。因此君子以真诚为贵。真诚并不是自我完善就够了，而是要完善万物。自我完善是仁，完善万物是智，这是出于本性的德行，是外物与自身合为一体的准则。所以，随时施行都是适宜的。

【解读】本章从三个方面论述君子的成仁之道。首先是解析诚和道的概念，认为诚是完善自身道德修养的关键要素，道是指导人们完善品德修养的根本途径。然后论述君子以诚为贵的原因。因为世间万物的运行规律就是诚，所以君子也以诚为贵，追求至诚之道。最后特别强调，君子不能仅仅提升自己的品德修养，还要推己及人，积极入世，推动社会的发展和进步。

本章对"至诚"之道做了进一步阐述，提出君子追求至诚之道必须做到物我同一，天人合一。要达成这一目标，除了做内心道德完善的自觉修炼外，还必须通过实践将其外化到他人和周围的事物中去。这就是真诚的外化问题。隔绝了与世间万物的联系，个体的自我完善就成了无源之水、无本之木。这里实际上是对儒家思想"己欲立而立人，己欲达而达人"的进一步发展，这种积极有为的入世哲学，是中国传统文化中宝贵的精神财富，对中国几千年的发展起到了至关重要的推进作用。

"成己仁也，成物知也。" "成己"就是要立身处世，完成自己的人生价值，使自己的精神状态达到最高境界。在孔子看来，这个最高境界就是"仁"。他认为"仁者爱人"，即作为有道德修养的人，必须要有普度众生、悲天悯人、胸怀无私的大爱，能够修己以安人。从提升个人修养做起，循序渐进，再到治国平天下。唯有如此，才符合中庸之道，才有可能获得最终成功。只有把个人的价值与祖国人民的利益紧密联系在一起，人生才有意义。

需要指出的是，《中庸》所说的"诚"，不能理解为单一行为的诚实，这里的"诚"是事物的运行规律，是事物的发端和归宿，是世间万物的秉性。没有"诚"就没有事物。太阳不诚，就不会每天东升西落；海潮不诚，潮汐就会涨落失序。对于人来讲，"诚"是站在生命的高度，体悟自然本源的特性，贯通三界万物的真理，它是一个人走向成功的重要因素。《菜根谭》里写道："文章做到极处，无有他奇，只是恰好；人品做到极处，无有他异，只是本然。"一个人，言行举止，为人处世，发自内心，则由衷而释然。君子以诚修身，追求"至诚"的最高道德境界，以己之小诚感通天地之大诚，最终达到天人合一的完善之境。这种境界不只是精神心灵的体验，还要体现在行动上，内外兼修，内圣外王，兼济天下，治国安民。

第二十六章

故至诚无息[1]。不息则久，久则征[2]，征则悠远，悠远则博厚，博厚则高明。博厚，所以载物也；高明，所以覆物也；悠久，所以成物也。博厚配地，高明配天，悠久无疆。如此者，不见而章[3]，不动而变，无为而成。

天地之道，可一言而尽也：其为物不贰[4]，则其生物不测。天地之道，博也，厚也，高也，明也，悠也，久也。今夫天，斯昭昭之多[5]，及其无穷也，日月星辰系焉，万物覆焉。今夫地，一撮土之多，及其广厚，载华岳[6]而不重，振[7]河海而不泄，万物载焉。今夫山，一卷[8]石之多，及其广大，草木生之，禽兽居之，宝藏兴焉。今夫水，一勺之多，及其不测，鼋鼍蛟龙鱼鳖生焉，货财[9]殖焉。

《诗》云："维天之命，於穆不已！"盖曰天之所以为天也。"於乎不显[10]！文王之德之纯！"盖曰文王之所以为文也，纯亦不已。

Hence to entire sincerity there belongs ceaselessness. Not ceasing, it continues long. Continuing long, it evidences itself. Evidencing itself, it reaches far. Reaching far, it becomes large and substantial. Large and substantial, it becomes high and brilliant. Large and substantial; — this is how it contains all things. High and brilliant; — this is how it overspreads all things. Reaching far and continuing long; — this is how it perfects all things. So large and substantial, the individual possessing it is the co-equal of Earth. So high and brilliant, it makes him the co-equal of Heaven. So far-reaching and long-continuing, it makes him infinite. Such being its nature, without any display, it becomes manifested; without any movement, it produces changes; and without any effort, it accomplishes its ends.

The way of Heaven and Earth may be

completely declared in one sentence. They are without any doubleness, and so they produce things in a manner that is unfathomable. The way of Heaven and Earth is large and substantial, high and brilliant, far-reaching and long-enduring. The Heaven now before us is only this bright shining spot; but when viewed in its inexhaustible extent, the sun, moon, stars, and constellations of the zodiac, are suspended in it, and all things are overspread by it. The earth before us is but a handful of soil; but when regarded in its breadth and thickness, it sustains mountains, without feeling their weight, and contains the rivers and seas, without their leaking away, and holds all things on its surface. The mountain now before us appears only a stone; but when contemplated in all the vastness of its size, we see how the grass and trees are produced on it, and birds and beasts dwell on it, and precious things which men treasure up are found on it. The water now before us appears but a ladleful; yet extending our view to its unfathomable depths, the largest tortoises, iguanas, iguanodons, dragons, fishes, and turtles, are produced in it, articles of value and sources of wealth abound in it.

It is said in the *Book of Poetry*, "The ordinances of Heaven, how profound are they and unceasing!" The meaning is, that it is thus that Heaven is Heaven. And again, "How illustrious was it, the singleness of the virtue of King Wen!" indicating that it was thus that King Wen was what he was. Singleness likewise is unceasing.

【注释】［1］息：停止。［2］征：征验。［3］见（xiàn）：同"现"，显现。章：同"彰"。彰明。［4］不贰：专一。［5］昭昭：光明。之多：逐步增多。［6］华岳：华山，五岳之一。［7］振：收纳。［8］卷：通"拳"。［9］货财：财物。这里指珍珠珊瑚类珍宝及鱼虾等水产品。〔10〕於乎（wū hū）：语气词，同"呜呼"。不（pī）显：彰显。不：通"丕"，大。

【译文】所以，至诚是不会停止的。不停止就会持久，持久就会显现，显现就会悠远，悠远就会广博深厚，广博深厚就会崇高光明。广博深厚的作用是承载万物，崇高光明的作用是覆盖万物，悠远长久的作用是生成万物。广博深厚与地相配，高大光明与天相配，悠远长久则永无尽头。像这样，不显现也会彰明，不运动也会改变，不作为也会有成就。

天地的法则，可以用一句话来概括：它至诚专一，所以生育万物多的无法测算。天地的法则，就是广博、深厚、高大、光明、悠远、长久。天，原本不过是由小片的光明逐步聚积增多形成的，可到了它无边无际时，日月星辰都靠它维系，世界万物都靠它覆盖；地，原本不过是由小撮的土逐步聚积增多形成的，可到了它广博深厚时，承载像华山那样的崇山峻岭

也不觉得重,容纳众多的江河湖海也不会泄漏,
世间万物都被它承载着;山,原本不过是由拳
头大的石块逐步聚积增多形成的,可到了它高
大无比时,草木在它上面生长,禽兽在它上面
栖息,宝藏在它上面生成;水,原本不过是一
勺一勺逐步聚积增多形成的,可到了它浩瀚无
涯时,鼋鼍蛟龙鱼鳖在里面生长,财货和珍珠
珊瑚等珍宝在里面繁殖生成。

《诗经》说:"天命运行,庄严肃穆永
不停!"大概说的就是天之所以为天的原因
吧。"显赫又光明啊,文王品德真纯正!"
大概说的就是文王之所以被谥为"文"的原
因吧,德行纯正永久流传。

【解读】本章中,作者总结了儒家修身的要求,
那就是"生命不息,为诚不已"。"诚"是
天地万物运行的法则,它贯穿于天地之间,
主宰天地万物的运行。同样,人对真诚的追
求也没有尽头,生命的意义在于不懈的奋斗,

生命的亮色在于自我修养的不断提升，以期达到与天地并列为三的终极目的。这种巨人哲学，这种英雄主义的追求一直是我国传统文化中不容置疑的正统，也是儒家贡献于世界的最宝贵的思想财富。

"天行健，君子以自强不息；地势坤，君子以厚德载物。"（《易传·象》）天地至诚专一，所以才能包容万物。我们要向天地学习，为诚不已，用一颗至诚之心对待每一个事物，执着于本性中一念之诚，持之以恒。不断修炼自己的心性、德行。当修炼到一定程度，达到"至诚"的最高境界时，那就如同天地一般高明悠远。"德侔天地"就是后世对孔子这一修养境界的最高评价。圣人之所以受万人敬仰，千古流芳，是因为他们的境界同化了天地。古人说"天不生仲尼，万古如长夜"，是把圣人的德行智慧比作能给世间带来光明的太阳，照亮了人们的心灵。

追求至诚，应该自强不息、坚持不懈。

对至诚之道的追求，是一个长期的不断积累的过程。在这一过程中，如果定力不够，就很容易受外物的影响，不够博厚。别人一句好话就沾沾自喜，别人一句批评就难受生气，这都是承受力不够的表现。"器小易盈"，一个器量不大、境界低下的人，是不会有什么大作为的，目光短浅、夜郎自大的人也绝不会成就大事。

人生如同登山涉河，又如爬梯掘洞，不可能诸事皆顺。面对挫折、苦难，能否保持一颗初心，保持一份豁达的胸怀，保持一种乐观向上的态度，就决定了一个人成就的规模大小。司马迁忍辱负重，坚持不懈，完成了《史记》，名留千古，就是自强不息的典范。"路漫漫其修远兮，吾将上下而求索。"（屈原《离骚》）我们应该坚持从身边事情做起，如曾子所说，任重道远，发扬弘毅精神，持之以恒，积少成多，积小成大，追求至诚，立德修身，以达到广博深厚之境界。

第二十七章

Book 27

大哉圣人之道！洋洋 [1] 乎！发育万物，峻极于天。优优 [2] 大哉！礼仪三百，威仪三千。待其人而后行。故曰苟不至德，至道不凝 [3] 焉。故君子尊德性而道问学，致广大而尽精微，极高明而道中庸。温故而知新，敦厚以崇礼。是故居上不骄，为下不倍 [4]。国有道，其言足以兴；国无道，其默足以容 [5]。《诗》曰："既明且哲，以保其身 [6]。"其此之谓与？

How great is the path proper to the Sage! Like overflowing water, it sends forth and nourishes all things, and rises up to the height of heaven. All complete is its greatness! It embraces the three hundred rules of ceremony, and the three thousand rules of demeanor. It waits for the proper man, and then it is trodden. Hence it is said, "Only by perfect virtue can the perfect path, in all its courses, be made a fact." Therefore, the superior man honors his virtuous nature, and maintains constant inquiry and study, seeking to carry it out to its breadth and greatness, so as to omit none of the more exquisite and minute points which it embraces, and to raise it to its greatest height and brilliancy, so as to pursue the course of the Mean. He cherishes his old knowledge, and is continually acquiring new. He exerts an honest, generous earnestness, in the esteem and practice of all propriety. Thus, when occupying a high situation, he is not proud, and in a low situation, he is not insubordinate. When the kingdom is well-governed, he is sure by his words to rise; and when it is ill-governed, he is sure by his silence to command forbearance to himself. Is not this what we find in the *Book of Poetry*, — "Intelligent is he and prudent, and so preserves his person?"

【注释】［1］洋洋：浩大的样子。［2］优优：宽裕的样子。［3］凝：凝聚，汇集。［4］倍：通"背"，背叛。［5］容：被统治者容许，指保全自身。［6］既明且哲，以保其身：聪明达理，保全自身。诗句引自《诗经·大雅·烝民》，今成语"明哲保身"源于此，原为褒义，今有了贬义。

【译文】圣人之道真伟大啊！浩大无边，生长养育万物，像天一样高。宽裕充足，太广大了！礼仪三百条，威仪三千条，等待着适宜担当的人出现去推行它。所以说，如果没有最高的德行，最高的道就难以汇聚在他身上。因此，君子崇尚道德修养而追求知识学问，达到广博境界而又钻研细微之处，极尽高深明察而又奉行中庸之道。温习过去已知的知识获得新的认知，敦厚诚实崇尚礼仪。所以身居高位不骄横，身居下位不叛上。国家政治清明时，他发出的言论足以扬名天下；国家政治黑暗

时，他的沉默足以保全自己。《诗经》说："既
明智又达理，足以保全自身。"大概就是说
的这个道理吧？

【解读】上一章提到了文王之德，本章紧接着
对以文王为代表的圣人之道给予了高度评价。
尧舜禹汤文武周公，这些古代的圣王并不是
凭借强权或武力等手段迫使百姓屈服、顺从，
而是通过弘扬、光大人性中善良美好的品德
使国家得治，即以德治国。圣王虽逝，然其
道得传，有"礼仪三百，威仪三千"，等待
后人去继承推行。不过，后人若想继承并推
行这"圣人之道"，自身须具备最高的德行。
那么，如何才能做到这一点呢？

　　首先，君子要以古代圣人为榜样，虚心
学习并躬身实践，去唤醒、弘扬与生俱来的
崇德向善的品性；其次，内心端正，头脑清醒，
不被私心私欲蒙蔽、误导，全面深入地探究
事理，精细入微而无毫厘之差；然后，坚持

修身养性，使自己的道德境界达到常人难以企及的高度，但是在为人处世时依然能够拿捏得恰到好处，做到"无过无不及"；再然后，要反复不断地玩味、体悟已经学过的各种知识，并在此基础上获得新的认知和感悟，最终达到豁然开朗、融会贯通的境界；最后，意念朴实、真诚，崇礼尚义，自觉维护并遵守符合"圣人之道"的礼仪规范，也就是做到儒家所推崇的"慎独"。

通过以上五个方面的艰苦修行，君子完成了德行和知识的储备，这样是不是就可以大刀阔斧地去推行"圣人之道"了呢？答案是否定的。德行和知识的积累，是个体主观层面的努力，但一件事要想圆满达成，需要主客观条件的齐备。社会生活中，个体的主观能动性是可控的，但客观的现实条件却不会以人的意志为转移，当客观条件不具备时，又该怎么办呢？

首先要有"居上不骄，为下不倍"的态度，

君子尊德性而
道問學致廣大
而盡精微極高
明而道中庸

語出中庸己亥冬張仲亭書

录《中庸》句　张仲亭　书

身居高位之时，不骄傲自满，依然谦逊好学，努力做好分内之事；身居下位之时，不怨天尤人，不违法乱纪甚至犯上作乱，内心安定，行事规矩。进而需要"国有道，其言足以兴；国无道，其默足以容"的智慧。若遇明君在世，政治清明，社会稳定，秩序井然，君子在这个时候就要有"天下兴亡，匹夫有责"的担当意识，一言一行皆为典范，登高一呼，天下云集而响应；若国无明君，政治黑暗，社会动乱，礼崩乐坏，君子在这个时候就要学会"独善其身"，行为上依然坚守方正、规矩，但言语上切忌牢骚满腹，以防引火烧身，说话要注意分寸，如此方可保全自己。一言以蔽之，君子当"明哲保身"。

这里的"明哲保身"当然不是苟且偷生式的消极避世思想，而是儒家主张的一种充满智慧又积极恰当的处世方略。它告诉我们：人生在世，既要明白事理，还要懂得具体问题具体分析。一般来讲，我们可以将"明哲保身"分为三个层次：首先是君子要坚守道德底线，不同流合污，不做伤天害理之事；其次才是发挥处世智慧，于逆境中保全自身；最后便是等待时机，厚积薄发，于有道之时充分施展自身才华。

《中庸》成书于诸侯攻伐的时代，"圣人之道"虽得以流传，却难以真正推行，因此君子如何在乱世中生存，显得尤为重要。君子有了安身立命之本，才能在"庙堂"与"江湖"之间进退自如，进而在主、客观条件同时具备后推行"圣人之道"。

第二十八章

子曰："愚而好自用[1]，贱而好自专[2]，生乎今之世，反[3]古之道。如此者，灾及其身者也。"

非天子，不议礼，不制度[4]，不考文[5]。今天下车同轨，书同文，行同伦[6]。虽有其位，苟无其德，不敢作礼乐焉；虽有其德，苟无其位，亦不敢作礼乐焉。

子曰："吾说夏礼[7]，杞[8]不足征[9]也；吾学殷礼[10]，有宋[11]存焉；吾学周礼[12]，今用之，吾从周。"

The Master said, "Let a man who is ignorant be fond of using his own judgment; let a man without rank be fond of assuming a directing power to himself; let a man who is living in the present age go back to the ways of antiquity; — on the persons of all who act thus calamities will be sure to come."

To no one but the Son of Heaven does it belong to order ceremonies, to fix the measures, and to determine the written characters. Now over the kingdom, carriages have all wheels of the same size; all writing is with the same characters; and for conduct there are the same rules. One may occupy the throne, but if he have not the proper virtue, he may not dare to make ceremonies or music. One may have the virtue, but if he do not occupy the throne, he may not presume to make ceremonies or music.

The Master said, "I may describe the ceremonies of the Xia dynasty, but Qi cannot sufficiently attest my words. I have learned the ceremonies of the Yin dynasty, and in Song they still continue. I have learned the ceremonies of Zhou, which are now used, and I follow Zhou."

【注释】［1］自用：主观行事，自以为是。［2］自专：自作主张，独断专行。［3］反："返"

236

的古字。〔4〕制度：制订法度。〔5〕考文：考订文字，这里指制订文字规范。〔6〕车同轨，书同文，行同伦：车子的轮距统一，文字统一，行为伦理道德标准统一。有学者据此认为，这是秦始皇统一六国后才实行的，因此《中庸》当是秦统一后所作，不可能出于子思之手，或者有些章节是秦代儒者增补的。但是据李学勤先生考辨，前面"今天下"的"今"不是时间名词，而是一个虚词，这里只是假设的口气，应训为"若"。（李学勤《失落的文明》，上海文艺出版社1997年版）〔7〕夏礼：夏朝的礼制。〔8〕杞：周初的诸侯国，传说周武王封夏禹的后代于杞，故址在今河南杞县。〔9〕征：验证。〔10〕殷礼：殷朝的礼制。商朝从盘庚迁都至殷（今河南安阳）到纣亡国，一般称为殷代，整个商朝也称商殷或殷商。〔11〕宋：周代诸侯国，商汤的后人被封于此，故城在今河南商丘。〔12〕周礼：周朝的礼制。

【译文】孔子说："愚昧却喜欢自以为是，低贱却喜欢独断专行。生于当今时代却一心想回到古代去。这样的人，灾祸一定会降临到他身上。"

不是天子就不要议订礼仪，不要制订法度，不要制订文字规范。假若天下车子轮距一致，文字统一，伦理道德标准统一。虽有高贵的地位，如果没有相应的德行，是不敢制作礼乐制度的；虽然有高尚的德行，如果没有相应的地位，也是不敢制作礼乐制度的。

孔子说："我能讲述夏朝的礼制，杞国已不足以验证它；我学习殷朝的礼制，宋国还残存着它；我学习周朝的礼制，现在正用着它，所以我遵从周朝礼制。"

【解读】本章开篇引用孔子的话来告诫世人，有三种情况将"灾及其身"：愚昧却自以为是，卑贱却独断专行，生于当世却一心返古。

何为"愚"者？其一，从字面看，"愚"

有"性格孤僻，喜欢钻牛角尖，不谙人情世事"的意思。据此看来，这种人由于性格原因，喜欢活在自己的世界里，不会主动与外界沟通交流，以致消息闭塞、知识陈旧，所以遇事之后往往会不懂装懂，自以为是，最终落得个贻笑大方的结局。其二，《荀子·修身》中有这样的论断："非是，是非，谓之愚。"意思就是，"否定正确的，肯定错误的，这就是愚昧"。由此来看，这种人经过一段时期的学习，对很多问题有了一知半解，还远未达到融会贯通、豁然开朗的程度，却把自己看作知识和真理的化身，刚愎自用，即便有智者规劝，也丝毫不为所动，反而走到了愚蠢的地步。

"贱"在本章应有"身份卑微，地位低下"的意思，在中国古代的奴隶社会及其后的封建社会，身份和地位上的贵贱之分是非常重要的客观存在，那么，本章中的"贱"者是否就专指身份和地位而言呢？恐怕不尽然。《孟子·告子上》中有"天爵"和"人爵"的概念，"仁义忠信"等先天即有的美德是为"天爵"，"公卿大夫"等后天获得的地位是为"人爵"。一个地位低下的人可能会有高尚的道德，但是，倘若他不能准确定位自己在社会中的角色，不能恪守其分内之事，不在其位，却谋其政，便会自作主张、独断专行，僭越之事就会常常发生，最终戕害其身；同理，一个道德低下的人也可能会有高贵的地位，然而，倘若他不善用手中的公共权力，不推贤举能、广开言路，而是抱着"天下唯我独尊"的心态独断专行的话，最后损害的不只是"德贱者"自己，国家和民族都会受他连累，放眼中国古代历史，这种例子不胜枚举。

自有人类始，每个人都生活且只生活在特定的时空之中，无法穿越到其他时空。所以，有些人很幸运，他们降生在"有道"的时代，同样地，有些人则不幸降生在"无道"的时代，任何人都无法选择。儒家认为，一个人无论生于何种时代，都不要只顾着庆幸或叹息。生于"有道"时，个体就要尽职尽责，奋发有为；生于"无道"时，个体则须谨言慎行，独善其身。但有一类人，他们对于现实不满，一心想逃离"今世"，回归"古之道"，以至于开历史的倒车，这种违背社会发展规律的人，最终必会遭受灾祸。

朱熹在其《四书章句集注》一书中认为，本章是"承上章为下不倍而言"，纵观本章，孔子不正是"为下不倍"的典型代表吗？作为至圣先师，孔子的道德修养毋庸置疑，但其一生仕途不顺，居于下位。对于礼乐制度，孔子的态度是"述而不作"，这表明他既没有自以为是，又不会独断专行。对于夏商周三代的礼制，孔子的选择是"吾从周"，这并不是因为周代礼制有多么先进、卓越，而是因为周代礼制是当时正在沿用的，这说明他不会生于当世而一心返古。

结合本章所述，告诉了我们一个做人的基本道理：人贵有自知之明，切不可独断专行；要学会与时俱进，万不可逆时而动。

第二十九章

王[1]天下有三重[2]焉，其寡过矣乎！上焉者[3]虽善无征，无征不信，不信民弗从；下焉者[4]虽善不尊，不尊不信，不信民弗从。

故君子之道，本诸身，征诸庶民，考诸三王[5]而不缪[6]，建诸天地而不悖，质诸鬼神而无疑，百世以俟[7]圣人而不惑。质诸鬼神而无疑，知天也；百世以俟圣人而不惑，知人也。是故君子动而世为天下道[8]，行而世为天下法，言而世为天下则。远之则有望[9]，近之则不厌。

《诗》曰："在彼无恶，在此无射[10]。庶几[11]夙夜，以永终誉。"君子未有不如此而蚤[12]有誉于天下者也。

He who attains to the sovereignty of the kingdom, having those three important things, shall be able to effect that there shall be few errors under his government. However excellent may have been the regulations of those of former times, they cannot be attested. Not being attested, they cannot command credence, and not being credited, the people would not follow them. However excellent might be the regulations made by one in an inferior situation, he is not in a position to be honored. Unhonored, he cannot command credence, and not being credited, the people would not follow his rules.

Therefore the institutions of the Ruler are rooted in his own character and conduct, and sufficient attestation of them is given by the masses of the people. He examines them by comparison with those of the three kings, and finds them without mistake. He sets them up before Heaven and Earth, and finds nothing in them contrary to their mode of operation. He presents himself with them before spiritual beings, and no doubts about them arise. He is prepared to wait for the rise of a sage a hundred ages after, and has no misgivings. His presenting himself with his institutions before spiritual beings, without any doubts arising about them, shows that he knows Heaven. His being prepared, without any misgivings, to wait for the rise of a sage a hundred ages after, shows that he knows men. Such being the case, the movements of such a ruler, illustrating his institutions, constitute an example to the world for ages. His acts are for ages a law to the kingdom. His words are for ages a lesson to the kingdom. Those who are far from him, look longingly for him; and those who are near him are never wearied with him.

It is said in the *Book of Poetry*, — "Not disliked there, not tired of here, from day to day and night to night, will they perpetuate their praise." Never has there been a ruler, who did not realize this description, that obtained an early renown throughout the kingdom.

【注释】［1］王（wàng）：动词，做王，即统治天下。［2］三重：指前一章所说的三件重要的事：议礼、制度、考文。［3］上焉者：指在上位的人，即君王。［4］下焉者：指在下位的人，即臣下。［5］三王：指夏、商、周三代的圣明帝王。［6］缪：同"谬"。［7］俟：待。［8］道：通"导"，先导。［9］望：仰望。［10］射（yì）：《诗经》本作"斁"，厌恶。［11］庶几：几乎。［12］蚤：同"早"。

【译文】统治天下能够做好议礼、制度、考文这三件重要的事，大概就没有什么大的过失了。在上位的人，虽然是个好君主，但如果没有经过验证，就不能使人信服。不能使人信服，民众就不会听从。在下位的人，虽然是个好人，但由于没有尊贵的地位，也不能使人信服。不能使人信服，民众就不会听从。

所以君子之道，应以自身的德行为本，从民众那里得到验证。与夏、商、周三代的制度对比没有乖谬，立于世间没有悖乱，质询求证于鬼神没有疑问，百世以后待到圣人出现也没有疑惑之处。质询求证于鬼神没有疑问，这是知天；百世以后待到圣人出现也没有疑惑之处，这是知人。所以君子的举措能世代成为天下的先导，行为能世代成为天下的法度，语言能世代成为天下的准则。民众离他远的时候则仰望，离他近的时候不厌弃。

《诗经》说："他在那里没人恨，他在这里没人烦，日夜操劳多勤勉，美好名望众口传。"君子没有不是这样做而早早在天下获得美誉的。

【解读】上一章已经提到，一国之内，"议礼，制度，考文"三件事只能由"天子"来完成。本章继续发挥，极言"议礼、制度、考文"的重要性，假如"天子"能够做好这三件事，那么治理国家，推行王道，就会顺风顺水了。

然而，是不是完成本章所谓"三重"就

会顺理成章地成为有道之君了呢？答案是否
定的。对于"天子"来说，虽然他确实是个
优秀的统治者，但如果他制定的各种规范、
制度只是从自身角度、理论的角度考虑，没
有从老百姓的实际出发，没有经过实践的验
证，那么便不会得到信任，百姓也就不会听
命于他。对于一个德行很好的"下位者"来讲，
如果没有相应的尊贵地位，说话就没有号召
力，故民众就不会相信和服从他。

那么，如何才能成为有道之君呢？一是
要立足于修身立德，二是要经过实践检验。
简言之，就是做到知行合一。在儒家的设想
中，天子之所以成为天子，主要是因为他在
道德方面达到了一定的高度。儒家最开始把
政治视为典范并引领百姓竞相学习的过程。
在此过程中，树立典范是关键，可以这样说，
有一个好的典范，政治就成功了一半，正所
谓其身正，不令而行；其身不正，虽令不从。
因此，执政者的修身就成了必须优先完成的

命题。经过修身养性之后，"天子"就是一个"善"的统治者了，但能不能成为有道之君，还需要在百姓那里得到正面回应，毕竟"天子"治理天下的手段和管理国家的制度最后几乎都会作用于百姓身上。百姓欣然接受、主动服从，并且拥护、爱戴他们的"天子"，那么他就是有道之君；反之，一切就都是镜中花、水中月，徒有其表，华而不实，又怎么可能成为有道之君？

至此，"天子"基本上完成了有道之君的修炼过程，但还需要经过层层考验才能流芳百世。首先，要经得起权威的考验，夏、商、周三代的制度被儒家赞颂，与它们同向而行才不会有谬误；其次，要经得起自然的考验，"天子"行事一定要符合客观规律，与天地和谐相处；然后，要经得起"鬼神"的考验，受时代所限，古人难免有关于"鬼神"的概念，但此处或可理解为要求"天子"应有敬畏之心，有朴素的信仰；最后，要经得起时间、历史的考验，就算千百年后的圣人也不会对"天子"的所作所为有所质疑。

经过了"鬼神"的考验，内心便不会再疑惑、畏惧，这说明"天子"对国家的治理顺应了天道；经过了时间的考验，得到后世圣人的认可，这说明"天子"的仁政赢得了民心，顺应了人道。将天道与人道集于一身，这样的"天子"就可以认为是达到"止于至善"的境界了，他的言行举止自然就会成为天下人奉行、遵守的法则和秩序。

这样的"天子"，严于律己，以身作则，勤政爱民，怎能不让人赞美呢？

第三十章

仲尼祖述尧、舜[1]，宪章文、武[2]，上律天时，下袭[3]水土。辟如天地之无不持载，无不覆帱[4]。辟[5]如四时之错行[6]，如日月之代明[7]。万物并育而不相害，道并行而不相悖。小德川流，大德敦化[8]。此天地之所以为大也。

Zhongni handed down the doctrines of Yao and Shun, as if they had been his ancestors, and elegantly displayed the regulations of Wen and Wu, taking them as his model. Above, he harmonized with the times of Heaven, and below, he was conformed to the water and land. He may be compared to Heaven and Earth in their supporting and containing, their overshadowing and curtaining, all things. He may be compared to the four seasons in their alternating progress, and to the sun and moon in their successive shining. All things are nourished together without their injuring one another. The courses of the seasons, and of the sun and moon, are pursued without any collision among them. The smaller energies are like river currents; the greater energies are seen in mighty transformations. It is this which makes heaven and earth so great.

【注释】[1]祖述尧、舜：远承尧帝和舜帝。[2]宪章文、武：近师周文王、周武王。[3]袭：依照，沿袭。[4]覆帱（dào）：覆盖。[5]辟：通"譬"。[6]错行：交替运行。[7]代明：交替照明。[8]敦化：仁爱敦厚，化生万物。

【译文】孔子远承尧帝和舜帝，近师周文王、周武王。上遵天时，下合地理。就像天地一样没有不承载的，没有不覆盖的。又像四季的交替运行，日月的交替照明。万物一起生长互不妨害，道路同时并行互不冲突。小德如河水一样长流不息，大德仁爱敦厚化生万物。这就是天地的伟大之处啊！

【解读】前面的章节已经提到过，孔子虽然在道德修养方面已臻于化境，但由于没有与之相称的尊贵地位，所以他选择"述而不作"，即以圣人先哲为学习的对象，阐发、继承古代圣人的思想。自孔子始，尧舜时期便被看作是道德社会的理想模型，那个时候"天下为公"、选贤用能、人人平等、彼此友爱、崇尚孝道，这为后世儒学奠定了"仁"的基础；而文武时期最为孔子所看重的便是"礼乐制度"，周朝统治者依靠这种制度治理天下、维护社会秩序、规范人际关系，这为后世儒学制订了"礼"的标准。

孔子的伟大当然不只是表现在他继承并发展了古代圣王的智慧上，也体现在他的思想和主张处处体现着对自然规律的遵循上。上应天时，方能风调雨顺；下合地理，才能五谷丰登。那么，怎样才能做到遵循自然规律呢？

　　首先，人们要清醒地认识到，无论身居何处，人类的生活以及生产劳动都离不开天时、地理，因为天之高、地之广，足以包容、承载一切存在。其次，要遵守四季的自然更替，时间就是在一年又一年的春夏秋冬的变换中流转的，大至一个国家的兴亡，小到一个生命的荣枯，无不体现着春生、夏长、秋收、冬藏的顺序，与时俱进则往往功成，逆时而动则必将失败。最后，要遵守"日月代明"的运行规则，日出而作，阳光普照，万物生长发育，日落而息，月代其明，万物休养生息，作息规律，万物方能茁壮成长。

　　此外，孔子的伟大还体现在内心的包容和胸襟的豁达上。譬如，世间万物千差万别，各不相同，但只要它们"上应天时，下合地理"，便能够在同一片蓝天下、同一方土地上和谐共生，各自安好；虽然选择的道路不同，但人们的目的地却是一致的，在通往大同社会的过程中，大家和平共处、各美其美，最终就会殊途同归、美美与共；若建成理想的社会，每个人都要有修身养性的自觉，又因为个体的差异性，会有"小德"与"大德"之分，"小德"者能力有限，但也要为善一方，"大德"者任重道远，必然要引导、化育天下苍生。

综上所述，本章主要是对孔子的赞美之词：伟大如天地，光芒似日月。作为儒家学派的集大成者，孔子因其德行被儒学后进树为典范，而榜样的力量无疑是巨大的，圣人身上的光芒照亮了一代又一代人的方向，指引他们在自己的时代里不断摸索前进，正如朱熹所言："天不生仲尼，万古如长夜。"时至今日，虽然我们早已远离"造神"的时代，但孔子对于道德至高之境的不懈追求，尊重自然规律且与万物和谐共生的思想以及豁达、包容的处世态度，仍然值得人们去学习、敬仰。

Book 31

第三十一章

唯天下至圣为能。聪明睿知，足以有临也；宽裕温柔，足以有容也；发强刚毅，足以有执也；齐庄中正，足以有敬也；文理密察，足以有别也。溥博渊泉[1]，而时出之。溥博如天，渊泉如渊。见而民莫不敬，言而民莫不信，行而民莫不说。是以声名洋溢乎中国，施及蛮貊[2]。舟车所至，人力所通，天之所覆，地之所载，日月所照，霜露所队[3]，凡有血气者，莫不尊亲，故曰配天。

It is only he, possessed of all sagely qualities that can exist under heaven, who shows himself quick in apprehension, clear in discernment, of far-reaching intelligence, and all-embracing knowledge, fitted to exercise rule; magnanimous, generous, benign, and mild, fitted to exercise forbearance; impulsive, energetic, firm, and enduring, fitted to maintain a firm hold; self-adjusted, grave, never swerving from the Mean, and correct, fitted to command reverence; accomplished, distinctive, concentrative, and searching, fitted to exercise discrimination. All-embracing is he and vast, deep and active as a fountain, sending forth in their due season his virtues. All-embracing and vast, he is like Heaven. Deep and active as a fountain, he is like the abyss. He is seen, and the people all reverence him; he speaks, and the people all believe him; he acts, and the people all are pleased with him. Therefore his fame overspreads the Middle Kingdom, and extends to all barbarous tribes. Wherever ships and carriages reach; wherever the strength of man penetrates; wherever the heavens overshadow and the earth sustains; wherever the sun and moon shine; wherever frosts and dews fall:—all who have blood and breath unfeignedly honor and love him. Hence it is said, "He is the equal of Heaven."

【注释】［1］溥博渊泉：智慧广博，学识深厚。
［2］蛮貊：蛮夷。［3］队："坠"的古字。

【译文】只有天下最圣明的人是最有才能的。
聪明睿智，足以君临天下；心胸宽广，性情
温和柔顺，足以容得下天下之事；坚毅刚强，
足以执掌一切事务；严肃端庄，处事公正，
足以受到众人尊敬；缜密细致，明察秋毫，
足以明辨是非曲直。智慧广博学识深厚，随
时涌出。智慧广博就像苍天一样，学识深厚
就像深渊一样。出现时民众没有不尊敬的，
说话时民众没有不信从的，行动时民众没有
不心悦诚服的。所以，好名声遍及中原地区，
传播到蛮夷。凡是车船能到的、人力所及的、
上天覆盖的、大地承载的、日月照耀的、霜
露坠落的地方，凡是有血气的人，没有不尊
敬亲近他的。所以说，他的德行与天相配。

【解读】本章主要讲"至圣"的五种美德。

　　至圣，就是胸怀大德至高无上的圣人。古代伟大的思想家、教育家孔子，就被后世尊称为"大成至圣文宣王""至圣先师"。

　　那什么样的圣人才能被称为至圣呢？或者说，被称为至圣的人具备哪些超乎寻常的品德？那就是本章在开头就讲到的五种："聪明睿知""宽裕温柔""发强刚毅""齐庄中正""文理密察"，只有具备了这五种品德，才能达到至圣的境界。

　　聪明睿智，是指聪明智慧。朱熹认为，这是"生知之质"，即生下来就有这种品质，只有古代的圣王才具备这种聪明睿智。生而知之，当然不可信，但是通过不懈努力增长知识，增长才干，肯定会变得越来越聪明，越来越有智慧。

　　宽裕温柔，是指广大宽舒，温厚柔顺。这是儒家一贯提倡的圣王所具备的"仁德"。《史记·殷本纪》记载：商汤王看到田猎之人四面张网，便命人撤除三面网，只留一面。

实际上这是一种保护生态的举措。诸侯及百姓都认为商汤具备恩及禽兽的宽厚仁德。商汤王因此获得诸侯和民众的拥护，讨伐夏桀，平定天下，建立了商朝。这种仁德仍有积极的现实意义。例如老一辈无产阶级革命家毛泽东、周恩来等都有博大的胸怀，心里装着全天下的百姓，具备宽厚的仁德，所以才得到广大人民群众的爱戴。

发强刚毅，就是奋发自强，刚正不阿。这也是儒家思想一贯提倡的美好品德，其核心是"义"，具有积极的现实意义。在中国革命与现代化建设中，无数仁人志士就是凭着这种精神，胸怀远大理想，意志坚定，前仆后继，自强不息，艰苦奋斗，才取得了中国革命和建设的一个又一个胜利。

齐庄中正，就是整齐庄重，公平正直。这里说的虽然是人格修养问题，却也是关系到治国安邦的大问题。其核心是"礼"。礼，对于个人，是一种人际交往的规范，同时也是一种修养；对于国家，礼就是维持社会运行的一套规则。荀子说："国之命在礼。"把礼与国家命运联系起来。

文理密察，就是文章条理，周详明辨。其核心是"智"。例如，历史上被人们津津乐道的"大禹治水"的故事，就体现了大禹之智。古时，黄河流域经常发生洪水，大禹为了治理洪水，跋山涉水，仔细考察地势水情，长年奔波在外。经过实地考察，并周密总结了前人治水的经验教训，果断采取了疏而不堵的策略，疏通河道，把洪水引向洼地湖泊，最后引入大海，平息了水患。他也因此被后人尊为"大禹"，与尧舜并列为古代圣王。

儒家思想认为，至圣之道，广博深沉，广阔如同天空，深沉如同潭水。"溥博渊泉，而时出之。溥博如天，渊泉如渊。"至圣之人，"见而民莫不敬，言而民莫不信，行而民莫不说"，有着巨大的影响力和号召力，因为他们的言谈举止皆是典范，靠近他们的人都会被他们璀璨耀眼的光芒所吸引。他们身上有一种无形的魅力，他们的美好品德像太阳的万丈光芒一样，可以照耀到世间的任何一个角落，人们尊敬他们，信任他们，亲近他们，是发自内心的一种情感。新中国的缔造者，老一辈无产阶级革命家受到广大人民群众的拥护与爱戴，其原因正在于此。

第
三
十
二
章

Book 32

第三十二章

唯天下至诚为能。经纶 [1] 天下之大经 [2]，立天下之大本 [3]，知天地之化育，夫焉有所倚？肫肫 [4] 其仁！渊渊 [5] 其渊！浩浩 [6] 其天！苟不固 [7] 聪明圣知 [8] 达天德者，其孰 [9] 能知之？

It is only the individual possessed of the most entire sincerity that can exist under Heaven, who can adjust the great invariable relations of mankind, establish the great fundamental virtues of humanity, and know the transforming and nurturing operations of Heaven and Earth; — shall this individual have any being or anything beyond himself on which he depends? Call him man in his ideal, how earnest is he! Call him an abyss, how deep is he! Call him Heaven, how vast is he! Who can know him, but he who is indeed quick in apprehension, clear in discernment, of far-reaching intelligence, and all-embracing knowledge, possessing all Heavenly virtue?

【注释】［1］经纶：治理，经营。"经纶"本义为"治丝"，引申为治理。［2］大经：指人伦。［3］大本：根本法则，指以善为本。［4］肫（zhūn）肫：诚恳的样子。［5］渊渊：深邃静谧的样子。［6］浩浩：广大的样子。［7］固：本来。［8］知：同"智"。［9］孰：疑问代词，谁。

【译文】只有天下至诚的人是最有才能的。治理天下的人伦大事，建立天下的根本法则，通晓天地万物的繁育规律，哪里有什么依赖呢？他的仁德诚恳纯厚，思虑静穆深远，心胸浩大如天。如果不是本来就聪明圣智德行通达上天的人，谁能够做得到呢？

【解读】上章中讲的是至圣所具备的五种品德，本章进一步强调"至诚"的重要性。因为至诚是至圣的基础与前提，至圣是至诚的进步与升华，二者具有不可分割的联系。所以说"唯天下至诚为能"。至诚，不但是一种美德，还是取得人们信任的首要条件，更是探求人世间万物规律的必备素质，因为至诚方能至精。没有了至诚，就得不到人们的信赖，更无法实践治理天下的大业。

《左传》记载了晋国重耳流亡期间以诚待人的故事。重耳历经十九年流亡生活，后来终于回到晋国做了国君，他就是春秋时期五霸之一的晋文公。

重耳此时在逃亡途中，正是危难之时。面对正帮助自己的楚王，心胸坦诚，只承诺一旦两国交战，将退避三舍。后来重耳也的确兑现了他的诺言。

重耳后来回到晋国做了国君，也以"至诚"之心治理国家。晋国大夫郤芮曾在重耳逃亡期间多次向晋惠公进言，要晋惠公除掉重耳，以绝后患。重耳执政后，不计前嫌，任用郤芮的儿子郤缺。《国语·晋语》还记载了勃鞮与重耳的故事。勃鞮曾经奉晋献公之命前去除掉重耳，他尽职尽责，雷厉风行，但都没有成功。重耳回国执政后，勃鞮主动求见。重耳知道勃鞮刺杀自己的行动只是遵命行事，于是抛弃了个人恩怨，以至诚之心接纳了他。

朱熹在《四书章句集注》中说："然至诚之道，非至圣不能知；至圣之德，非至诚不能为……"也说明至诚与至圣是一体的。只有至圣之人才真正懂得至诚之道，只有具备至诚之心才能成为至圣之人。至圣之人能够"经纶天下之大经，立天下之大本，知天地之化育"，这种人就是儒家思想主张里最理想的君王。

第三十三章

Book 33

　　《诗》曰："衣锦尚䌹[1]。"恶其文之著也。故君子之道，暗然而日章[2]；小人之道，的然[3]而日亡。君子之道，淡而不厌，简而文，温而理，知远之近，知风之自，知微之显，可与入德矣。

　　《诗》云："潜虽伏矣，亦孔之昭[4]！"故君子内省不疚，无恶于志。君子之所不可及者，其唯人之所不见乎？

　　《诗》云："相在尔室，尚不愧于屋漏[5]。"故君子不动而敬，不言而信。

　　《诗》曰："奏假无言，时靡有争[6]。"是故君子不赏而民劝，不怒而民威于铁钺[7]。

　　《诗》曰："不显惟德，百辟其刑之[8]。"是故君子笃恭而天下平。

　　《诗》云："予怀明德，不大声以色[9]。"子曰："声色之于以化民，末也。"

　　《诗》曰："德辖如毛[10]。"毛犹有伦[11]，

"上天之载，无声无臭^[12]。" 至矣！

It is said in the *Book of Poetry*, "Over her embroidered robe she puts a plain single garment," intimating a dislike to the display of the elegance of the former. Just so, it is the way of the superior man to prefer the concealment of his virtue, while it daily becomes more illustrious, and it is the way of the mean man to seek notoriety, while he daily goes more and more to ruin. It is characteristic of the superior man, appearing insipid, yet never to produce satiety; while showing a simple negligence, yet to have his accomplishments recognized; while seemingly plain, yet to be discriminating. He knows how what is distant lies in what is near. He knows where the wind proceeds from. He knows how what is minute becomes manifested. Such a one, we may be sure, will enter into virtue.

It is said in the *Book of Poetry*, "Although the

fish sink and lie at the bottom, it is still quite clearly seen." Therefore the superior man examines his heart, that there may be nothing wrong there, and that he may have no cause for dissatisfaction with himself. That wherein the superior man cannot be equaled is simply this, — his work which other men cannot see.

It is said in the *Book of Poetry*, "Looked at in your apartment, be there free from shame as being exposed to the light of Heaven." Therefore, the superior man, even when he is not moving, has a feeling of reverence, and while he speaks not, he has the feeling of truthfulness.

It is said in the *Book of Poetry*, "In silence is the offering presented, and the spirit approached to; there is not the slightest contention." Therefore the superior man does not use rewards, and the people are stimulated to virtue. He does not show anger, and the people are awed more than by hatchets and battle-axes.

It is said in the *Book of Poetry*, "What needs no display is virtue. All the princes imitate it." Therefore, the superior man being sincere and reverential, the whole world is conducted to a state of happy tranquility.

It is said in the *Book of Poetry*, "I regard with pleasure your brilliant virtue, making no great display of itself in sounds and appearances." The Master said, "Among the appliances to transform the people, sound and appearances are but trivial influences. It is said in another ode, 'His Virtue is light as a hair.' Still, a hair will admit of comparison as to its size. 'The doings of the supreme Heaven have neither sound nor smell.' That is perfect virtue.

【注释】［1］衣（yì）锦尚绚（jiǒng）：穿锦绣衣服，外面加上罩衣。引自《诗经·卫风·硕人》，衣：动词，穿衣。锦：色彩鲜艳的衣服。尚：加。䌹：用麻布做的罩衣。［2］章：
同"彰"。［3］的（dí）然：明显。［4］潜
虽伏矣，亦孔之昭：虽然潜藏很深，也会昭
然显现。诗句引自《诗经·小雅·正月》。
［5］相在尔室，尚不愧于屋漏：观察你独处
室内的时候，能否无愧于神明。诗句引自《诗
经·大雅·抑》。相：观察。屋漏：代指神明。
［6］奏假无言，时靡有争：静穆祈祷，秩序
井然无纷争。诗句引自《诗经·商颂·烈祖》。
奏假：《诗经》原作"鬷假"，向神灵祈祷。
靡（mǐ）：无，是说在祭祀祖先时静穆不语，
默默祈祷，无人喧哗，次序不乱。［7］铁（fū）
钺（yuè）：古代执行斩刑军法所用的兵器。
［8］不显惟德，百辟其刑之：彰显美德，诸
侯们都来效仿。引自《诗经·周颂·烈文》。不：
通"丕"，大。辟（bì）：指诸侯。刑：通"型"，
效仿。［9］予怀明德，不大声以色：我有美
德，不用厉声厉色。诗句引自《诗经·大雅·皇
矣》。大声以色：指声色俱厉恐吓百姓。［10］

德辑如毛：德行轻如毫毛。诗句引自《诗经·大
雅·烝民》。辑（yóu）：古代一种轻便车子，
引申为轻。[11]伦：比。[12]上天之载，
无声无臭：上天承载的化育之功，既无声音
也无气味。诗句引自《诗经·大雅·文王》。
臭（xiù）：气味。

【译文】《诗经》说："内穿锦绣衣服，外面
罩件套衫。"是因为讨厌锦衣花纹艳丽外露，
所以，君子之道不去显露却日益彰明，小人
之道刻意显露却日渐消亡。君子之道，平淡
而有意味，简朴而有文采，温和而有条理，
由近知远，由风知源，由微知显，这样，就
可以进入道德的境界了。

　　《诗经》说："虽然潜藏很深，也会昭
然显现。"所以君子自我反省不愧疚，心中
没有恶念头。君子的德行高于一般人，大概
就在这些不被人看见的地方吧？

　　《诗经》说："观察你独处室内的时候，

能否无愧于神明。"所以，君子在不做事的时候态度也是恭敬的，在不说话的时候对人也是诚信的。

《诗经》说："静穆祈祷，秩序井然无纷争。"所以，君子不用赏赐，民众也会互相劝勉；不用发怒，民众也会畏惧刑罚。

《诗经》说："彰显美德，诸侯们都来效仿。"所以，君子诚恳恭敬就能使天下太平。

《诗经》说："我有美德，不用厉声厉色。"孔子说："声色俱厉地教育民众，是最下等的做法。"

《诗经》说："德行轻如毫毛。"轻如毫毛还是有物可比，（德行本是无形的）。"上天承载的化育之功，既无声音也无气味。"这才是最高的境界啊！

【解读】本章是《中庸》最后一章，大量引用《诗经》句子，总结概括君子的德行、内涵，再次指出君子、至圣的德行最高境界是"无色无味、无形无声",春风化雨,大德日显,进而达到修身、齐家、治国平天下的目标。

本章用《诗经》起头,又有引申发挥,可谓言辞切切,谆谆教导,难怪朱熹要在《四书章句集注》的《中庸章句》末尾大发感叹反复叮咛以教人的用意是多么深切啊,后世学者难道可以不用心去钻研体会吗?

前三则是讲君子之道,后三则是讲君子施政,最后一则讲君子德行的最高境界。

君子之道是内显而彰,小人之道是外显而亡。君子给人以平淡、简朴、温和的外在形象,却不失有意味、有文采、有条理的内在力量。这种内在力量能发现别人不可见之物、不可见之理、不可见之因,见微知著,卓有远见。小人正相反,给人以炫耀、骄傲之印象,得意而忘形,失意而败德,见小利而趋之,不如意则恼之。诸葛亮未出茅庐,而知天下三分,这就是德行内在力量的最好证明。"亲贤臣,远小人"对于为政者尤为

子思　吴泽浩　绘

重要。贤臣正直而思远，"亲"也不易；小
人巧言令色，"远"也困难。这正考验为政
者的德行。

人从自然人过渡到社会人、文明人，就
是战胜个人自私、贪欲的自我完善的过程。
德行高的君子，即使在脑海深处也不产生恶
的念头，即使是自我反省也不会愧疚。这里，
作者再次提出"慎独"这一儒家修行的重要
观点，在别人不容易发现的地方努力、修为、
完善，才会成为真君子。因为慎独，所以恭
敬的态度时时会有，诚信的信仰不说自明。
孔子弟子曾参提出"内省慎独"的修身观，
并身体力行，被后世奉为修身的典范。

君子修身，一旦达到中庸的境界，不赏赐，
民众自会激励；不发怒，民众自会敬畏；不
征服，诸侯自来朝聘；不厉声，民众自然听从。
大德无色无形，但大德无时不在，充塞于天
地间，充沛于正人君子的胸怀。

君子有大德，也就是达到至圣的境界，

秉中庸之道，承上天之功，化万民之德。孔子是子思崇拜的大德之人，也是中华民族的至圣先师。而且，孔子的德行历经两千五百多年长盛不衰，还在深刻影响着中国和世界。

中庸是大智慧。中庸不是平庸，是恰到好处，中庸是平和中的睿智，是温柔中蕴含的刚毅。中庸之道体大精微，神奇玄妙，我们应当深入学习中庸之道，感受中庸之道，用中庸之道点亮自己的人生，用中庸之道应对现实的坎坷，用中庸之道书写精彩的人生！

后记

　　"中华优秀传统文化书系"是山东省委宣传部组织实施的 2019 年山东省优秀传统文化传承发展工程重点项目,由山东出版集团、山东画报出版社策划出版。

　　"中华优秀传统文化书系"由曲阜彭门创作室彭庆涛教授担任主编,高尚举、孙永选、刘岩、郭云鹏、李岩担任副主编。特邀孟祥才、杨朝明、臧知非、孟继新等教授担任学术顾问。书系采用朱熹《四书章句集注》与《十三经注疏》为底本,英文对照主要参考理雅各(James Legge)经典翻译版本。

　　《中庸》由孙永选担任执行主编;曹帅、

李金鹏、朱宁燕、房政伟担任主撰；王明朋、王新莹、朱振秋、刘建、杨光、束天昊、张勇、张博、陈阳光、尚树志、周茹茹、屈士峰、高天健、郭耀、黄秀韬、龚昌华、韩振、鲁慧参与编写工作；于志学、吴泽浩、张仲亭、韩新维、岳海波、梁文博、韦辛夷、徐永生、卢冰、吴磊、杨文森、杨晓刚、张博、李岩等艺术家创作插图；本书编写过程中参阅了大量资料，得到了众多专家学者的帮助，在此一并致谢。